Friedrich Dürrenmatt

Der Auftrag

oder
*Vom Beobachten
des Beobachters
der Beobachter
Novelle in
vierundzwanzig
Sätzen*

Diogenes

Umschlagillustration:
Ausschnitt aus ›Die Astronomen‹ von
Friedrich Dürrenmatt

Originalausgabe

Für Charlotte

Was wird kommen? Was wird die Zukunft bringen? Ich weiß es nicht, ich ahne nichts. Wenn eine Spinne von einem festen Punkt sich in ihre Konsequenzen hinab-stürzt, so sieht sie stets einen leeren Raum vor sich, in dem sie nirgends Fuß fassen kann, wie sehr sie auch zappelt. So geht es mir; vor mir stets ein leerer Raum; was mich vorwärtstreibt, ist eine Konse-quenz, die hinter mir liegt. Dieses Leben ist verkehrt und grauen-haft, nicht auszuhalten.

Kierkegaard

I

Als Otto von Lambert von der Polizei benachrichtigt worden war, am Fuße der Al-Hakim-Ruine sei seine Frau Tina vergewaltigt und tot aufgefunden worden, ohne daß es gelungen sei, das Verbrechen aufzuklären, ließ der Psychiater, bekannt durch sein Buch über den Terrorismus, die Leiche mit einem Helikopter über das Mittelmeer transportieren, wobei der Sarg, worin sie lag, mit einem Tragseil unter der Flugmaschine befestigt, dieser nachschwebend, bald über sonnenbeschienene unermeßliche Flächen, bald durch Wolkenfetzen flog, dazu noch über den Alpen in einen Schneesturm, später in Regengüsse geriet, bis er sich sanft ins offene von der Trauerversammlung umstellte Grab hinunterspulen ließ, das alsobald zugeschaufelt wurde, worauf von Lambert, der bemerkt hatte, daß auch die F. den Vorgang filmte, seinen Schirm trotz des Regens schließend, sie kurz musterte und sie aufforderte, ihn noch diesen Abend mit ihrem Team zu besuchen, er habe einen Auftrag für sie, der keinen Aufschub dulde.

2

Die F., bekannt durch ihre Filmporträts, die sich vorgenommen hatte, neue Wege zu beschreiten und der noch vagen Idee nachhing, ein Gesamtporträt herzustellen, jenes unseres Planeten nämlich, indem sie dies durch ein Zusammenfügen zufälliger Szenen zu einem Ganzen zu erzielen hoffte, weshalb sie auch das seltsame Begräbnis gefilmt hatte, verblüfft dem massigen Mann nachschauend, von Lambert, der regennaß und unrasiert mit offenem schwarzem Mantel sie angeredet hatte und grußlos von ihr gegangen war, entschloß sich nur zögernd, die Aufforderung anzunehmen, weil ein ungutes Gefühl ihr sagte, etwas stimme nicht und außerdem laufe sie Gefahr, in den Sog einer Geschichte zu geraten, die sie von ihren Plänen ablenke, so daß sie eigentlich widerwillig mit ihrem Team in der Wohnung des Psychiaters erschien, allein von der Neugier getrieben, was dieser von ihr wolle und entschlossen, auf nichts einzugehen.

3

Von Lambert empfing sie in seinem Studierzim-
mer, verlangte unverzüglich gefilmt zu werden,
ließ willig alle Vorbereitungen über sich ergehen,
erklärte dann vor der laufenden Kamera, hinter
seinem Schreibtisch sitzend, er sei am Tode seiner
Frau schuldig, weil er die oft unter schweren
Depressionen Leidende immer mehr als Fall statt
als Frau behandelt hätte, bis sie, nachdem ihr seine
Notizen über ihre Krankheit durch Zufall zu
Gesicht gekommen, kurzerhand das Haus verlassen habe, nach der Meldung der Hausdame nur in
ihrem roten Pelzmantel über einen Jeansanzug
geworfen und mit einer Handtasche, seitdem habe
er nichts mehr von ihr gehört, doch habe er auch
nichts unternommen, von ihr etwas zu erfahren,
um ihr einerseits jede Freiheit zu lassen, andererseits ihr, käme sie auf seine Nachforschungen, das
Gefühl zu ersparen, sie würde von ihm weiterhin
beobachtet, doch jetzt, da sie ein so entsetzliches
Ende genommen und er nicht nur in seiner
Methode ihr gegenüber, jener der kühlen Beob-

achtung, die der Psychiatrie vorgeschrieben sei, sondern auch in seinem Unterlassen jeder Nachforschung seine Schuld erkenne, erachte er es für seine Pflicht, die Wahrheit zu erfahren, mehr noch, sie der Wissenschaft zugänglich zu machen, herauszufinden, was sich ereignet habe, sei er doch an die Grenze seiner Wissenschaft gestoßen, die sich im Schicksal seiner Frau abzeichne, gesundheitlich sei er eine Ruine und nicht im Stande, selber hinzufahren und so gebe er denn ihr, der F., den Auftrag, mit ihrem Team das Verbrechen an seiner Frau, wovon er als Arzt der Urheber sei, der Täter jedoch nur einen zufälligen Faktor darstelle, an jenem Orte, wo es sich offensichtlich abgespielt habe, zu rekonstruieren, festzuhalten was festzuhalten sei, damit der so entstandene Film an Fachkongressen und der Staatsanwaltschaft vorgeführt werden könne, als Schuldiger habe er wie jeder Verbrecher das Recht auf das Geheimhalten seiner Verfehlung verloren und damit händigte er ihr einen Scheck in beträchtlicher Höhe, mehrere Fotos der Verstorbenen, sowie ihr Tagebuch und seine Notizen aus, worauf die F. den Auftrag zur Verwunderung ihres Teams annahm.

4

Nachdem die F. sich verabschiedet, auf die Frage ihres Kameramanns, was der Unsinn denn bedeute, keine Antwort gegeben und während der Nacht fast bis zur Morgendämmerung das Tagebuch und die Notizen durchgesehen hatte, organisierte sie nach kurzem Schlaf noch von ihrem Bett aus mit einem Reisebüro den Flug nach M., fuhr in die Stadt, kaufte die Boulevardpresse auf deren Titelseite Bilder der seltsamen Beerdigung und der Toten waren und setzte sich, bevor sie einer flüchtig hingeschriebenen Adresse nachging, die sie im Tagebuch gefunden hatte, im italienischen Restaurant, wo sie frühstückte, zum Logiker D., dessen Vorlesung auf der Universität von zwei, drei Studenten besucht wurde, zu einem scharfsinnigen Kauz, von dem niemand wußte, ob er dem Leben gegenüber hilflos war oder diese Hilflosigkeit nur spielte, der jedem, welcher sich in dem stets überfüllten Restaurant zu ihm setzte, seine logischen Probleme erklärte, derart wirr und gründlich, daß sie niemand zu begreifen vermochte, auch die F. nicht, die ihn jedoch amüsant fand, ihn mochte und ihm gegenüber oft ihre Pläne erläuterte, so jetzt, indem sie ihm vom merkwürdigen Auftrag des Psychiaters erzählte und auf das Tagebuch seiner Frau zu sprechen kam, ohne sich bewußt zu werden, daß sie davon berichtete, so sehr war sie noch mit dem engbeschriebenen Heft beschäftigt, sagte sie doch, sie habe noch nie eine ähnliche Schilderung eines Menschen gelesen, Tina von Lambert habe ihren Mann als ein Ungeheuer beschrieben, aber allmählich, nicht sofort, sondern indem sie eine Facette dieses Menschen um die andere von ihm gleichsam losgelöst, dann wie unter einem Mikroskop mit immer steigender Vergrößerung und in immer schärferem Licht betrachtet, seitenlang beschrieben habe, wie er esse, seitenlang wie er in den Zähnen stochere, seitenlang wie er sich und wo er sich kratze, seitenlang wie er schnalze oder sich räuspere, huste, niese oder andere unwillkürliche Bewegungen, Gesten, Zuckungen und Eigentümlichkeiten, die mehr und weniger bei jedem Menschen vorzufinden seien, aber dies alles sei in einer Art und Weise dargestellt, daß ihr, der F., nun das Essen an sich unerträglich vorkomme, und wenn sie jetzt noch nichts von ihrem Frühstück angerührt habe, so nur, weil sie sich vorstelle, sie esse ebenso abscheulich, man könne gar nicht ästhetisch essen, es sei, lese man dieses Tagebuch, als ob sich eine Wolke aus lauter Beobachtungen zu einem Klumpen von Haß und Abscheu verdichte, es komme ihr vor, als hätte sie ein Drehbuch gelesen zur Dokumentation jedes Menschen, als ob jeder Mensch, filme man ihn so, zu einem von Lambert werde, wie ihn dessen Frau beschrieben habe, indem er durch eine so unbarmherzige Beobachtung jede Individualität verliere, dagegen habe ihr der Psychiater einen ganz anderen Eindruck gemacht, er sei ein Fanatiker seines Berufs, der an seinem Beruf zu zweifeln beginne, er habe etwas ungemein Kindliches wie viele Wissenschaftler, und Hilfloses, er hätte geglaubt seine Frau zu lieben und glaube es immer noch, aber man bilde sich allzuleicht ein, jemanden zu lieben und liebe im Grunde nur sich selber, die spektakuläre Beerdigung habe sie mißtrauisch gemacht, die kaschiere nur seinen verletzten Stolz, warum nicht, und mit dem Auftrag, nach den Umständen zu forschen, die zum Tode seiner Frau geführt hätten, versuche er, wenn auch unbewußt, vor allem sich selber ein Denkmal zu setzen, sei die Schilderung Tinas über ihren Mann ins Übertriebene, ins allzu

Anschauliche geraten, so die Notizen von Lamberts ins allzu Abstrakte, nicht ein Beobachten, sondern ein Abstrahieren vom Menschen sei hinter diesen Notizen zu lesen, die Depression definiert als psychosomatisches Phänomen, ausgelöst durch die Einsicht in die Sinnlosigkeit des Seins, die dem Sein an sich anhafte, der Sinn des Seins sei das Sein selber und damit sei das Sein prinzipiell nicht auszuhalten, Tina sei dieser Einsicht einsichtig geworden und eben diese Einsicht in diese Einsicht sei die Depression und so seitenlang immer derselbe Quark, weshalb es ihr gänzlich unmöglich sei zu glauben, Tina sei geflüchtet, weil sie diese Notizen gefunden hätte, wie von Lambert anscheinend vermute, auch wenn ihr Tagebuch mit dem zweimal unterstrichenen Satz »ich werde beobachtet« geendet habe, sie deute diese Bemerkung anders, Tina sei dahintergekommen von Lambert hätte ihr Tagebuch gelesen, dieses sei ungeheuerlich, nicht von Lamberts Notizen, und für jemanden, der im Geheimen hasse und plötzlich wisse, der Gehaßte wisse es, gebe es keinen anderen Ausweg als die Flucht, worauf die F. ihre Ausführungen mit der Bemerkung schloß, etwas stimme an der Geschichte nicht, es bleibe rätselhaft, was Tina in die Wüste getrieben habe, sie, die

16

F., komme sich wie eine jener Sonden vor, die man ins All schieße, in der Hoffnung sie könnten Informationen zurück zur Erde senden, deren Beschaffenheit man noch nicht wisse.

5

D. hatte sich den Bericht der F. angehört und sich zerstreut ein Glas Wein bestellt, obwohl es erst elf Uhr war, und stürzte es ebenso zerstreut hinunter, bestellte sich ein zweites Glas und meinte, er sei zwar immer noch mit dem unnützen Problem beschäftigt, ob der Identitätssatz A = A stimme, da er zwei identische A setze, während es nur ein mit sich identisches A geben könne und wie es auch sei, auf die Wirklichkeit bezogen sei es unsinnig, kein Mensch sei mit sich identisch, weil er der Zeit unterworfen und genau genommen zu jedem Zeitpunkt ein anderer sei als vorher, manchmal scheine es ihm, er sei jeden Morgen ein anderer, als hätte ein anderes Ich sein vorheriges Ich verdrängt und machte nun von seinem Hirn Gebrauch und damit auch von seinem Gedächtnis, daher sei er froh sich mit der Logik abzugeben, die sich jenseits jeder Wirklichkeit befinde und jeder existentiellen Panne entrückt, darum könne er nur sehr allgemein Stellung zur Geschichte nehmen, die sie ihm aufgetischt habe, der gute von Lambert sei nicht als Ehemann erschüttert, sondern als Psychiater, vor dem Arzt sei die Patientin davongelaufen, aus seinem menschlichen Versagen mache er gleich ein Versagen der Psychiatrie, nun stehe der Psychiater da wie ein Wärter ohne Gefangene, was ihm fehle, sei sein Objekt, was er als seine Schuld bezeichne, sei nur dieses Fehlen und was er von der F. wolle, sei nur das ihm fehlende Dokument zu seinem Dokument; er wolle, indem er zu wissen versuche, was er nie begreifen könne, die Tote gleichsam wieder in sein Gefängnis zurückholen, das Ganze ein Stück für einen Komödienschreiber, verbärge sich nicht dahinter ein Problem, welches ihn, D., seit langem beunruhige, besitze er doch in seinem Haus in den Bergen ein Spiegelteleskop, ein ungefügiges Ding, das er bisweilen gegen einen Felsen richte, von wo aus er von Leuten mit Ferngläsern beobachtet werde, worauf jedesmal, kaum hätten die ihn mit ihren Ferngläsern Beobachtenden festgestellt, daß er sie mit seinem Spiegelteleskop beobachte, sich diese schleunigst zurückzögen, wobei sich nur die logische Feststellung bestätige, zu jedem Beobachteten gehöre ein Beobachtendes, das, werde es von jenem Beobachteten beobachtet, selber ein Beobachtetes werde, eine banale logische Wechselwirkung, die jedoch, werde sie in die Wirklichkeit transponiert, sich bedrohlich auswirke, die ihn Beobachtenden fühlten sich dadurch, daß er sie durch sein Spiegelteleskop beobachte, ertappt, ertappt zu werden erwecke Schmach, Schmach oft Aggression, mancher der sich verzogen habe, sei zurückgekehrt, wenn er, D., sein Instrument weggeräumt hätte, und habe Steine nach seinem Haus geworfen, überhaupt sei, was sich zwischen denen, die ihn beobachteten, und ihm abspiele, der seine Beobachter beobachte, für unsere Zeit symptomatisch, jeder fühle sich von jedem beobachtet und beobachte jeden, der Mensch heute sei ein beobachteter Mensch, der Staat beobachte ihn mit immer raffinierteren Methoden, der Mensch versuche sich immer verzweifelter dem Beobachtet-Werden zu entziehen, dem Staat sei der Mensch und dem Menschen der Staat immer verdächtiger, ebenso beobachte jeder Staat den anderen und fühle sich von jedem Staat beobachtet, auch beobachte wie noch nie der Mensch die Natur, indem er immer sinnreichere Instrumente erfinde, sie zu beobachten, wie Kameras, Teleskope, Stereoskope, Radioteleskope, Röntgenteleskope, Mikroskope, Elektronenmikroskope, Synchrotrone, Satelliten, Raumson-

den, Computer, immer neue Beobachtungen ent-
locke man der Natur, von Quasaren, Milliarden
Lichtjahre entfernt bis zu Billionstelmillimeter
kleinen Partikeln, bis zur Erkenntnis, die elektro-
magnetischen Strahlen seien verstrahlte Masse und
die Masse gefrorene elektromagnetische Strah-
lung, noch nie hätte der Mensch soviel von der
Natur beobachtet, sie stehe gleichsam nackt vor
ihm, jeder Geheimnisse bar, und werde ausge-
nutzt, mit ihren Ressourcen Schindluder getrieben, daher scheine es ihm, D., bisweilen, die
Natur beobachte nun ihrerseits den sie beobachtenden Menschen und werde aggressiv, bei der
verschmutzten Luft, dem verseuchten Boden,
dem verunreinigten Grundwasser, den sterbenden
Wäldern handle es sich um einen Streik, um eine
bewußte Weigerung, die Schadstoffe unschädlich
zu machen, die neuen Viren, die Erdbeben, Dür-
ren, Überschwemmungen, Hurrikane, Vulkan-
ausbrüche usw. dagegen seien gezielte Abwehr-
maßnahmen der beobachteten Natur gegen den,
der sie beobachte, so wie sein Spiegelteleskop und
die Steine, die gegen sein Haus geworfen würden,
Gegenmaßnahmen gegen das Beobachtet-Werden
seien, desgleichen was sich zwischen von Lambert
und dessen Frau abgespielt habe, um auf die

zurückzukommen, auch dort sei Beobachten ein Objektivieren und so habe denn jeder den anderen ins Unerträgliche objektiviert, er habe sie zu einem psychiatrischen Objekt, sie ihn zu einem Haßobjekt gemacht, worauf, aus dem plötzlichen Erkennen heraus, daß nämlich sie, die Beobachtende, vom Beobachteten beobachtet werde, sie sich spontan den roten Mantel über ihren Jeansanzug geworfen und den Teufelskreis von Beobachten und Beobachtet-Werden verlassen habe und in den Tod gelaufen sei, aber, fügte er hinzu, nachdem er plötzlich in ein Gelächter ausgebrochen war, wieder ernst geworden, was er da entwickelt habe, sei natürlich nur die eine Möglichkeit, die andere bestehe im puren Gegenteil dessen, was er ausgeführt habe, ein logischer Schluß hänge von der Ausgangssituation ab, wenn er in seinem Hause in den Bergen immer seltener beobachtet würde, so selten, daß, richte er sein Spiegelteleskop gegen solche, von denen er annehme, sie würden ihn vom Felsen aus beobachten, diese mit ihren Ferngläsern nicht ihn, sondern irgend etwas anderes beobachten würden, kletternde Gemsen oder kraxelnde Bergsteiger, dieses Unbeobachtet-Sein würde ihn mit der Zeit mehr quälen als das Beobachtet-Sein vorher, er würde die Steine gegen sein Haus geradezu herbeisehnen, nicht mehr beobachtet, käme er sich nicht beachtenswert, nicht beachtenswert nicht geachtet, nicht geachtet bedeutungslos, bedeutungslos sinnlos vor, er würde, stelle er sich vor, in eine hoffnungslose Depression geraten, ja, würde wohl seine ohnehin erfolglose akademische Laufbahn gar als etwas Sinnloses aufgeben, die Menschen, würde er dann zwangsläufig folgern, litten unter dem Unbeobachtet-Sein wie er, auch sie kämen sich unbeobachtet sinnlos vor, darum beobachteten alle einander, knipsten und filmten einander aus Angst vor der Sinnlosigkeit ihres Daseins angesichts eines auseinanderstiebenden Universums mit seinen Milliarden Milchstraßen, wie der unsrigen, besiedelt mit Abermilliarden durch die ungeheuren Distanzen hoffnungslos isolierten belebten Planeten, wie dem unsrigen, eines Alls unaufhörlich durchzuckt von explodierenden und dann in sich zusammensackenden Sonnen, wer anders sollte den Menschen da noch beobachten um ihm einen Sinn zu verleihen als dieser sich selber, sei doch gegenüber einem solchen Monstrum von Weltall ein persönlicher Gott nicht mehr möglich, ein Gott als Weltregent und als Vater, der einen jeden beobachte, der die Haare eines jeden zähle, Gott sei tot, weil er undenkbar geworden sei, ein im Verstande gänzlich wurzelloses Glaubensaxiom, nur noch ein unpersönlicher Gott sei als ein abstraktes Prinzip denkbar, als ein philosophisch-literarisches Gedankengebäude, um in das monströse Ganze doch noch einen Sinn hineinzuzaubern, vage und verblasen, Gefühl ist alles, Name ist Schall und Rauch, umnebelnd Himmelsglut, eingefangen in den Kachelofen des menschlichen Herzens, aber auch der Verstand sei unfähig, sich noch einen Sinn außerhalb des Menschen vorzuschwindeln, denn alles Denk- und Machbare, Logik, Metaphysik, Mathematik, Naturgesetze, Kunstwerke, Musik, Dichtung, bekomme nur Sinn durch den Menschen, ohne den Menschen sinke es ins Ungedachte und damit ins Sinnlose zurück, vieles was heute geschehe, folge er dieser logischen Spur weiter, sei dann begreifbar, die Menschheit taumle in der irren Hoffnung dahin, doch noch von irgendwem beobachtet zu werden, so etwa wenn sie wettrüste, natürlich zwinge es die Wettrüstenden, einander zu beobachten, weshalb sie im Grunde hofften, ewig wettrüsten zu können, um sich ewig beobachten zu müssen, ohne Wettrüsten versänken die Wettrüstenden in der Bedeutungslosigkeit, doch falls das Wettrü-

sten durch irgendeine Panne den atomaren Feuer-
brand auslöse, wozu es längst fähig sei, stelle
dieser nichts weiter als eine sinnlose Manifestation
dar, daß die Erde einmal bewohnt gewesen sei, ein
Feuerwerk, das niemand beobachte, es sei denn
irgendeine vielleicht vorhandene Menschheit oder
so etwas Ähnliches in der Nähe des Sirius oder
anderswo, ohne Möglichkeit dem, der so gern
beobachtet sein möchte, die Nachricht zu über-
mitteln, er sei beobachtet worden, weil dieser
dann nicht mehr existiere, auch der religiöse und
politische Fundamentalismus, der überall hervor-
breche oder immer noch herrsche, weise darauf
hin, daß viele und offenbar die meisten sich selber
unbeobachtet nicht aushielten, sie flüchteten in
die Vorstellung eines persönlichen Gottes oder
einer ebenso metaphysisch begründeten Partei
zurück, der oder die sie beobachte, wovon sie das
Recht ableiten, nun ihrerseits zu beobachten, ob
die Welt die Gebote des sie beobachtenden Gottes
oder der sie beobachtenden Partei beachte, bei den
Terroristen sei der Fall verzwickter, ihr Ziel sei
nicht ein beobachtetes, sondern ein unbeobachte-
tes Kinderland, aber weil sie die Welt, in der sie
lebten, als ein Gefängnis begriffen, in das sie nicht
nur rechtlos eingesperrt seien, sondern worin sie

auch unbeobachtet und unbeachtet in einem der Verliese lägen, versuchten sie verzweifelt, die Beobachtung der Wärter zu erzwingen und damit aus ihrer Nicht-Beobachtung ins Rampenlicht der Beachtung zu treten, was sie freilich nur vermöchten, wenn sie sich paradoxerweise immer wieder ins Unbeobachtete zurückzögen, aus dem Verlies ins Verlies, und nie kämen sie ins Freie, kurz, die Menschheit sei im Begriff, wieder zu den Windeln zurückzukehren, Fundamentalisten, Idealisten, Moralisten, Politchristen mühten sich ab, einer unbeobachteten Menschheit wieder eine Beobachtung und damit einen Sinn aufzuhalsen, weil der Mensch nun einmal ein Pedant sei und ohne Sinn nicht auskomme, weshalb er alles ertrage außer der Freiheit, auf den Sinn zu pfeifen, auch Tina von Lambert hätte davon geträumt, durch ihre Flucht von der Weltöffentlichkeit beobachtet zu werden, worauf der zweimal unterstrichene Satz, »ich werde beobachtet«, hinweisen könnte, als siegesbewußte Bekräftigung ihres geplanten Unterfangens, doch, akzeptiere man diese Möglichkeit, so beginne damit erst die eigentliche Tragödie, indem ihr Gatte ihre Flucht nicht als einen Versuch begriffen, beobachtet zu werden, sondern als eine Flucht vor dem Beobachtet-

Werden interpretiert und jede Nachforschung unterlassen habe, sei Tinas Ziel vorerst vereitelt worden, ihre Flucht sei unbeobachtet und damit unbeachtet geblieben, vielleicht habe sie sich dadurch in immer kühnere Abenteuer eingelassen, bis sie durch ihren Tod erreicht habe, was sie ersehnte, ihr Bild sei nun in allen Zeitungen, jetzt habe sie die Beobachtung und damit die Beachtung und ihren Sinn gefunden, den sie gesucht habe.

6

Die F., die dem Logiker aufmerksam zugehört und sich einen Campari bestellt hatte, meinte, D. werde sich wundern, warum sie den Auftrag von Lamberts angenommen habe, der Unterschied von beobachten und nicht-beobachtet sei zwar eine amüsante logische Spielerei, aber sie interessiere, was er über den Menschen gesagt habe, dem er jede Identität mit sich selber abgesprochen habe, da er immer ein anderer sei, hineingeworfen in die Zeit, wenn sie D. recht verstanden habe, was aber bedeuten würde, daß es kein Ich gebe, besser, nur eine zahllose Kette von aus der Zukunft auftauchenden, in der Gegenwart aufblitzenden und in der Vergangenheit versinkenden Ichs, so daß denn das, was man sein Ich nenne, nur ein Sammelname für sämtliche in der Vergangenheit angesammelten Ichs sei, ständig anwachsend und zugedeckt von den aus der Zukunft durch die Gegenwart herabfallenden Ichs, eine Ansammlung von Erlebnis- und Erinnerungsfetzen, vergleichbar mit einem Laubhaufen, bei dem die untersten Blätter längst zu Humus geworden und der durch das frisch fallende und heranwehende Laub immer höher steige, ein Vorgang, der zu einer Fiktion eines Ichs führe, indem jeder sein Ich zusammenfingieren, sich in eine Rolle dichten würde, die er mehr oder weniger gut zu spielen versuche, demnach komme es auf die schauspielerische Leistung an, ob einer als Charakter dastehe oder nicht, je unbewußter, unabsichtlicher er eine Rolle spiele, desto echter wirke er, sie begreife nun auch, warum Schauspieler so schwer zu porträtieren seien, diese spielten ihren Charakter zu offensichtlich, das bewußt Schauspielerische wirke unecht, überhaupt hätte sie, schaue sie auf ihre Laufbahn zurück, auf die Menschen, die sie porträtiert habe, das Gefühl, vor allem Schmierenschauspieler gefilmt zu haben, besonders unter den Politikern, wenige seien Schauspieler großen Formats ihres Ichs gewesen, sie habe sich vorgenommen, keine Porträts mehr zu filmen, aber wie sie diese Nacht das Tagebuch Tina von Lamberts gelesen, immer wieder, und wie sie sich vorgestellt habe, wie diese junge Frau in einem roten Pelzmantel in die Wüste hineinge-schritten sei, in dieses Meer aus Sand und Stein, sei es ihr, der F., klargeworden, daß sie mit ihrem Team dieser Frau nachspüren und wie diese in die

Wüste hinein zur Al-Hakim-Ruine gehen müsse, koste es, was es wolle, in der Wüste, ahne sie, liege eine Realität, der sie sich wie Tina stellen müsse, für diese sei es der Tod gewesen, was es für sie selber sein werde, wisse sie noch nicht und dann fragte sie D., den Campari austrinkend, ob sie nicht verrückt sei, diesen Auftrag anzunehmen, worauf D. antwortete, sie wolle in die Wüste gehen, weil sie eine neue Rolle suche, ihre alte Rolle sei die einer Beobachterin von Rollen gewesen, nun beabsichtige sie, das Gegenteil zu versuchen, nicht zu porträtieren, was ja einen Gegenstand voraussetze, sondern zu rekonstruieren, den Gegenstand ihres Porträts herzustellen, damit aus einzelnen herumliegenden Blättern einen Laubhaufen anzusammeln, wobei sie nicht wissen könne, ob die Blätter, die sie da zusammenschichte, auch zusammengehörten, ja, ob sie am Ende nicht sich selber porträtiere, ein Unterfangen, das zwar verrückt sei aber wiederum so verrückt, daß es nicht verrückt sei und er wünsche ihr alles Gute.

7

War es schon am Morgen schwül gewesen, als wäre es Sommer, so donnerte es, als sie zum Wagen trat und sie vermochte gerade noch das Schutzdach ihres Kabrioletts zu installieren, bevor ein Platzregen einsetzte, durch den sie an der Altstadt vorbei zum Altmarkt hinunterfuhr und trotz des Verbots am Trottoirrand parkte, hatte sie sich doch nicht geirrt, die an einer Seite des Tagebuchs flüchtig hingekritzelte Adresse war die des Ateliers eines seit einigen Wochen verstorbenen Malers, der seit vielen Jahren die Stadt verlassen, und das längst von jemand anderem benützt werden mußte, wenn es überhaupt noch existierte, denn es war in einem so lamentablen und baufälligen Zustand gewesen, daß sie überzeugt war, es nicht mehr vorzufinden, aber weil die Adresse in irgendeiner Beziehung zu Tina stehen mußte, ohne die sie nicht in ihr Tagebuch gekommen wäre, legte sie den kurzen Weg vom Wagen zur Haustüre trotz der niederstürzenden Regenmassen zurück und obwohl sich die Türe öffnen ließ, war sie schon durchnäßt als sie in den Korridor gelangte, der sich nicht verändert hatte, auch der Hof, von dessen Kopfsteinpflaster der Regen aufspritzte, war derselbe, ebenso die Scheune, worin sich das Atelier des Malers befunden hatte, auch die Türe hinauf erwies sich zu ihrem Erstaunen unverschlossen, die Treppe verlor sich oben im Dunkeln, sie suchte vergeblich nach einem Lichtschalter, stieg hinauf, die Hände tastend vor sich, spürte eine Türe und sie befand sich im Atelier, auch dieses zu ihrer Verblüffung unverändert im fahlen Silberlicht des Regens, der außen an den beiden Fenstern niederlief, der lange, schmale Raum war immer noch voller Bilder des Malers, der doch seit Jahren die Stadt verlassen hatte, großformatige Porträts, die abenteuerlichsten Gestalten der Altstadt standen herum, Pumpgenies, Quartalsäufer, Clochards, Straßenprediger, Zuhälter, Berufsarbeitslose, Schieber und andere Lebenskünstler, die meisten unter der Erde wie der Maler, nur nicht so feierlich wie dieser, bei dessen Begräbnis sie dabeigewesen war, höchstens daß bei jenen einige weinende Dirnen zugegen gewesen waren oder einige Zechbrüder, Bier ins Grab nachgießend, wenn es überhaupt zum Begräbnis kam und nicht zur Kremation, Porträts, wovon sie die meisten längst in Museen geglaubt, ja gesehen hatte, andere kleinformatigere Bilder stapelten sich zu Füßen der nur noch auf der Leinwand Gegenwärtigen, eine Straßenbahn darstellend, Klos, Pfannen, Autoruinen, Velos, Regenschirme, Verkehrspolizisten, Cinzanoflaschen, nichts gab es, das der Maler nicht dargestellt hätte, die Unordnung war ungeheuer, vor einem halb zerrissenen mächtigen Ledersessel war eine Kiste, auf der ein Tablar voller Bündnerfleisch, am Boden Chiantiflaschen und ein Wasserglas halb gefüllt mit Wein, Zeitungen, Eierschalen, überall Farbtuben, als wäre der Maler noch am Leben, Pinsel, Paletten, Terpentin- und Petroleumflaschen, nur eine Staffelei fehlte, der Regen klatschte gegen die zwei Fenster an der Längsseite, um besser zu sehen räumte die F. einen Stadtpräsidenten und einen Bankdirektor, der seit zwei Jahren im Zuchthaus ein etwas minder flottes Leben führte, vom Fenster an der Vorderwand weg und stand vor dem Porträt einer Frau im roten Pelzmantel, das die F. zuerst für das Bildnis Tina von Lamberts hielt, aber dann war es wieder nicht jenes der Tina, es konnte ebensogut das Porträt einer Frau sein, die Tina ähnlich war, doch zuckte sie plötzlich zusammen, es schien ihr, diese Frau, die trotzig vor ihr stand mit weit aufgerissenen Augen, sei sie selber, von diesem Gedanken durchzuckt hörte sie Schritte hinter sich, sich umwendend war es zu spät, die Türe war schon ins Schloß gefallen, und als sie am späten Nachmittag mit ihrem Team ins Atelier zurückkehrte, war das Porträt verschwunden, dafür fand sie ein anderes Team vor, welches das Atelier filmte, sie hätten es, erklärte der Regisseur seltsam fahrig, vor der Gesamtausstellung im Kunsthaus noch einmal so rekonstruiert, wie es zur Zeit des Malers ausgesehen habe, seitdem sei es leer geblieben, sie blätterten den Katalog durch, das Porträt war nicht zu finden, auch sei es ganz unmöglich, daß das Atelier nicht verschlossen gewesen sei.

8

Noch immer verwirrt durch dieses Erlebnis, das ihr wie ein Vorzeichen erschien, sie suche in der falschen Richtung, hätte sie beinah ihren Abflug annulliert, doch zögerte sie, die Vorbereitungen nahmen ihren Lauf, schon flogen sie über Spanien, unter ihnen der Guadalquivir, der Atlantik kam in Sicht und als sie in C. landeten, freute sie sich auf die Fahrt ins Landesinnere, es mußte noch grün sein und sie erinnerte sich, als sie vor Jahren diese Fahrt unternommen, an eine Dattelpalmenallee, durch die ihr Autos mit Skis auf den Dächern vom verschneiten Atlas her entgegengekommen waren; indessen wurden sie und ihr Team in C. gleich bei der Landung auf der Piste von einem Polizeiwagen abgeholt und ohne durch den Zoll zu müssen samt der Filmausrüstung in einen Militärtransporter gebracht und ins Landesinnere geflogen, in M. von vier Motorradpolizisten eskortiert in rasender Fahrt an Kolonnen von Touristen vorbei, von denen sie neugierig betrachtet wurden, in die Stadt gebracht, begleitet von zwei

Wagen, hinter und vor ihnen, eines Fernsehteams, das unaufhörlich filmte und, mit der Eskorte im Polizeiministerium angekommen, die F. und ihr Filmteam filmte, als dieses den Polizeichef filmte, der unglaublich dick, in weißer Uniform, an Göring erinnernd, an den Schreibtisch gelehnt erklärte, wie glücklich er sei, der F. und ihrem Team trotz der Bedenken seiner Regierung erlauben zu dürfen, auf seine Verantwortung freilich, die Schauplätze des scheußlichen Verbrechens zu besichtigen und zu filmen, aber am überglücklichsten sei er, weil die F. bei ihrem Versuch, die Untat zu rekonstruieren, auch die Gelegenheit ausnutzen wolle, die untadlige Arbeit seiner Polizei festzuhalten, die aufs modernste ausgerüstet jedem internationalen Maßstab nicht nur standhalte, sondern ihn auch übertreffe, ein derart schamloses Ansinnen, das den Verdacht verstärkte, den die F. seit ihrem Erlebnis im Atelier hegte, sie sei auf falscher Fährte, war doch ihr Unternehmen, kaum begonnen, sinnlos geworden, weil sie für den Fettwanst, der sich immer wieder den Schweiß mit seinem seidenen Taschentuch von der Stirne wischte, nur eine Gelegenheit darstellte, für ihn und die ihm unterstellte Polizei Propaganda zu machen, aber einmal in die Falle gegangen, sah sie vorerst keine Möglichkeit zu entkommen, denn nicht nur die Polizei nahm sie und ihr Team gefangen, indem sie zu einem Jeep geführt wurden, dessen Fahrer, ein Polizist mit Turban im Gegensatz zu den andern weißbehelmten Polizisten, die F. mit einer Handbewegung anwies, sich neben ihn zu setzen, während der Kameramann und der Tonmeister hinter ihr Platz nehmen und der Assistent mit den Geräten einen zweiten Jeep besteigen mußten, dessen Fahrer ein Schwarzer war, auch das Fernsehen folgte ihnen, als sie sich der Wüste näherten, zum Ärger der F., die es vorgezogen hätte, vorerst Erkundigungen einzuziehen, sich aber nicht zu verständigen vermochte, weil, sei es aus Absicht oder aus Nachlässigkeit, kein Dolmetscher zugegen war und die sie mehr herumkommandierenden als begleitenden Polizisten nicht Französisch verstanden, was man doch in diesem Lande hätte voraussetzen können, aber auch weil die Fernsehteams außer Rufweite in die Steinwüste hineinpreschten, seitwärts von F.s Jeep, wie denn auch die Wagenkolonne jede Ordnung verlor, so sehr, daß die anderen Wagen samt des Jeeps mit dem Assistenten und den Geräten sich in den Weiten, die in der Sonne kochten, zu zerstreuen schienen, so wie es jedem Fahrer ein-

37

fiel, je nach Laune, sogar die vier Motorradpolizisten, die ihre Eskorte bildeten, lösten sich vom
Jeep, in welchem sie saßen, brausten davon, hetz-
ten einander, knatterten zurück, schlugen weite
Bogen, indes die Fernsehteams dem Horizont
zuschossen und plötzlich nicht mehr sichtbar
waren; dafür aber begann ihr Jeepfahrer unver-
ständliche Laute ausstoßend einem Schakal nach-
zujagen, kurvte ihm nach, der Schakal rannte und
rannte, schlug Haken, rannte in anderer Richtung
weiter, der Jeep ihm nach, einige Male drohte er
umzustürzen, dann ratterten wieder die Motorradfahrer heran, schrien, machten Zeichen, die
sie, an ihre Sitze geklammert, nicht begriffen, bis
sie plötzlich in die Sandwüste gerieten, offenbar
allein, ohne ein anderes Fahrzeug zu sichten,
sogar die vier Motorradfahrer waren verschwunden, dermaßen fegten sie mit ihrem Jeep über eine
asphaltierte Straße, wobei rätselhaft blieb, wie es
ihrem Fahrer, der den Schakal nicht hatte überfah-
ren können, möglich gewesen war, diese zu finden, war doch die Straße teilweise mit Sand bedeckt, wobei sich zu beiden Seiten die Sanddünen
häuften, wodurch es der F. schien, sie pflügten
durch ein von Sandwellen aufgepeitschtes Meer
über das die Sonne immer längere Schatten warf,

doch unvermittelt tauchte vor ihnen die Al-Hakim-Ruine auf, die in einer Mulde lag, in die sie unvermutet hinunterrasten, dem Monument entgegen, das, die Sonne verdunkelnd, schwarz vor ihr aus dem Gewimmel von Polizisten und Fernsehleuten aufwuchs, die sich schon vor ihm versammelt hatten, vor einem rätselhaften Zeugen einer unvorstellbar alten Zeit, den man um die Jahrhundertwende gefunden hatte, ein riesiges, durch den Sand spiegelglatt geschliffenes steinernes Quadrat, das sich als die Oberfläche eines Kubus herausstellte, der, als man weitergrub, immer gewaltigere Dimensionen annahm, doch als man ihn gänzlich freilegen wollte, hatten sich Heilige einer schiitischen Sekte, zerlumpte ausgemergelte Gestalten eingefunden, die sich an einer der Kubusseiten niederkauerten, in schwarze Mäntel gehüllt, auf den wahnsinnigen Kalifen Al-Hakim wartend, der nach ihrem Glauben im Innern des Kubus lauerte und jeden Monat, jeden Tag, jede Minute, jede Sekunde hervorbrechen konnte, seine Weltherrschaft zu übernehmen, schwarzen Riesenvögeln gleich hockten sie da, niemand wagte sie fortzutreiben, die Archäologen gruben die drei anderen Seiten des Kubus aus, gerieten immer tiefer, die schwarzen Sufi, wie sie genannt wurden, weit über ihnen, unbeweglich, auch wenn der Wind über sie strich, sie mit Sand überhäufend, rührten sie sich nicht, nur einmal jede Woche von einem riesigen Neger besucht, der auf einem Esel zu ihnen geritten kam, in ihre Mäuler einen Löffel voll Brei schlug und Wasser über sie goß und von dem es hieß, er sei noch ein Sklave, und als die F. sich ihnen näherte, weil ein junger Polizeioffizier, plötzlich des Französischen mächtig, ihr erklärt hatte, Tinas Leiche sei zwischen den »Heiligen« gefunden worden, wie er sich respektvoll ausdrückte, jemand müsse sie zwischen diese geworfen haben, es sei jedoch unmöglich, von ihnen Auskunft zu erhalten, da diese Schweigen bis zur Rückkehr ihres »Mahdi« gelobt hätten, die Unbeweglichen lange betrachtend, die vor ihr in langen Reihen kauerten, eins mit den schwarzen Quadern des Kubus, ein Gewächs an einer seiner Flanken, Mumien gleich, lange weiße strähnige sandverkrustete Bärte, die Augen unsichtbar in tiefen Höhlen, dicht mit Fliegen bedeckt, die überall auf ihnen herumkrochen, die Hände ineinandergekrallt mit langen Fingernägeln, die ihre Handteller durchbohrten, und nun einen von ihnen vorsichtig berührte, um vielleicht doch eine Auskunft zu erlangen, fiel dieser um, er war eine Leiche, auch der nächste, hinter ihr surrten die Kameras, erst beim dritten hatte sie den Eindruck, er sei noch am Leben, doch gab sie auf, nur ihr Kameramann schritt die Reihe ab, seinen Apparat an sein Auge gepreßt, und als sie den Vorfall dem Polizeioffizier meldete, der bei seinem Wagen geblieben war, meinte dieser, die Schakale würden den Rest besorgen, auch die Leiche Tinas sei zerrissen aufgefunden worden, und in diesem Augenblick setzte die Dämmerung ein, die Sonne mußte hinter der Mulde unterge-gangen sein, und der F. schien es, die Nacht falle sie an wie ein gnädiger Feind, der schnell tötet.

9

Auch am nächsten Tag war die Rückkehr nicht möglich, noch bevor die F. den Rückflug hatte buchen können, machte der Kameramann ihr Vorhaben mit der Meldung zunichte, ihm sei das abgedrehte Material abhanden gekommen, die Rollen seien vertauscht worden, die Fernsehleute beteuerten, es sei sein Material, der Kameramann verlangte wütend, dann sollten die Rollen entwickelt werden, damit man es feststellen könne, was man ihm für den Abend versprach, zu einem Zeitpunkt also, der die Abreise unmöglich machte und schon waren sie wieder von der Polizei verschleppt und dies in einer Weise, die es klüger erscheinen ließ, so zu tun, als mache man mit, wurden ihnen doch in den unterirdischen Anlagen des Polizeiministeriums Menschen vorgeführt, mit denen die F. zwar sprechen und die sie filmen durfte, Männer, die, betraten sie den Raum, von ihren Handschellen befreit wurden, denen aber, hatten sie auf dem Schemel Platz genommen, ein Polizist seine Maschinenpistole in den Rücken drückte, wobei es sich um schlecht rasierte Individuen handelte, denen Zähne fehlten, die gierig mit zittrigen Händen nach der Zigarette griffen, die ihnen die F. anbot, und nach kurzem Blick auf Tinas Foto und auf die Frage, ob sie diese Frau gesehen hätten, nickten und auf die Frage wo, leise antworteten, im Ghetto, alle in schmutzigen weißen Leinenhosen und -kitteln, ohne Hemd, wie uniformiert und immer mit der gleichen Antwort: im Ghetto, im Ghetto, im Ghetto und dann erzählte jeder, man hätte versucht ihn anzuheuern, die Frau umzubringen, deren Foto ihm gezeigt wurde, es handle sich um die Gattin eines Mannes, der die arabische Widerstandsbewegung verteidigt und sie nicht als Terrororganisation bezeichnet habe oder so was Ähnliches, er sei nicht klug daraus geworden, warum die Frau dafür hätte sterben sollen, er habe das Angebot abgelehnt, die Summe sei zu schäbig gewesen, in seinen Kreisen seien die Tarife geregelt, Ehrensache, der Mann, der das Angebot gemacht habe, sei klein und dick gewesen, Amerikaner wahrscheinlich oder – er wisse nichts Näheres, die Frau habe er nur einmal gesehen, in dessen Begleitung, im Ghetto, er habe es schon gesagt, ähnliche Aussagen machten alle anderen, mechanisch, gierig die

Zigarette rauchend, nur einer grinste, als er das Foto sah, blies der F. Rauch ins Gesicht, er war fast zwerghaft, mit einem großen faltigen Gesicht, sprach Englisch wie etwa Skandinavier Englisch sprechen, sagte, er habe diese Frau nie gesehen, keiner habe diese Frau gesehen, worauf der Polizist ihn hochriß, ihn mit der Maschinenpistole in den Rücken schlug, doch schon war ein Offizier da, herrschte den Polizisten an, plötzlich waren andere Polizisten im Raum, der mit dem großen faltigen Gesicht wurde hinausgeführt, ein neuer Häftling wurde von außen hereingeschoben, saß da im Licht der Scheinwerfer, wieder Klappe, das Surren der Kamera, nahm mit zittrigen Händen eine Zigarette, schaute auf das Foto, erzählte die selbe Geschichte wie die anderen, mit unwesentlichen Varianten, manchmal undeutlich wie die andern, weil auch er wie die andern fast keine Zähne besaß, dann kam der nächste, dann der letzte, worauf sie vom kahlen Betonraum, wo sie die Männer vernommen hatten, worin sich nur ein wackliger Tisch, ein Scheinwerfer und einige Stühle befanden, durch die unterirdische Gefängniswelt, an Eisengittern vorbei, hinter denen in den Zellen etwas Weißliches lag oder kauerte, mit einem Lift zum Untersuchungsrichter gelangten, in ein modernes Büro, das behaglich eingerichtet war, mit einem Juristen, einem sanften Schönling mit randloser Brille, die nicht zu ihm paßte, der die F. und ihr Team, nachdem sie in bequemen Sesseln um einen runden Tisch mit Glasplatte Platz genommen, mit allen erdenklichen Delikatessen bewirtete, sogar Kaviar und Wodka waren vorhanden, wobei der Untersuchungsrichter, fleißig einem elsässischen Weißwein zugetan, den ihm ein französischer Kollege zugeschickt habe, dem Kameramann abwinkend, der aufnahmebereit lauerte, weitläufig beteuerte, er sei ein gläubiger Muslim, ja in vielem geradezu ein Fundamentalist, Khomeini hätte durchaus seine positiven, ja grandiosen Seiten, aber der Prozeß, der zu einer Synthese der Rechtsauffassung des Korans mit dem europäischen juristischen Denken führe, sei in diesem Lande nicht mehr aufzuhalten, zu vergleichen mit der Integration des Aristoteles in die mohammedanische Theologie im Mittelalter, schwafelte er weiter, doch endlich, mit einem ermüdenden Umweg über die Geschichte der spanischen Umayyaden kam er wie zufällig auf den Fall Tina von Lamberts zu sprechen, bedauerte, er verstehe durchaus die Emotionen, die der Fall in Europa ausgelöst habe, Europa neige dem Tragischen, die Kultur des Islam dem Fatalistischen zu, wies dann Fotos von der Leiche vor, sagte: na ja, die Schakale, meinte dann, die Leiche sei erst nach der Tat zu den schwarzen Sufi bei der Al-Hakim-Ruine gebracht worden, was, er entschuldigte sich, für einen christlichen oder – na ja – Täter spreche, kein Muslim hätte es gewagt, eine Leiche unter die Heiligen zu werfen, die Empörung darüber sei allgemein, legte den gerichtsmedizinischen Befund vor, Vergewaltigung, Tod durch Erwürgen, einen Kampf habe es offenbar keinen gegeben, die der F. vorgeführten Männer seien ausländische Agenten, welche Macht Interesse an der Ermordung gehabt habe, er brauche nicht deutlich zu werden, von Lamberts Weigerung am internationalen Antiterroristenkongreß, arabische Freiheitskämpfer als Terroristen zu bezeichnen, ein gewisser Geheimdienst habe ein Exempel statuiert, als Täter komme einer der Agenten in Frage, das Land sei voller Spione, natürlich auch sowjetische, tschechische, ostdeutsche vor allem, doch hauptsächlich amerikanische, französische, englische, westdeutsche, Italiener, warum alle aufzählen, kurz, Abenteurer aller Länder, der gewisse Geheimdienst, sie wisse ja welchen er meine, arbeite am gerissensten, er dinge andere

Agenten, dinge, das sei das Perfide, mit der Ermordung Tina von Lamberts habe er sich einerseits rächen, andererseits die guten Handelsbezie-
hungen seines Landes zur Europäischen Gemein-
schaft stören, insbesondere die Ausfuhr solcher
Waren erschweren wollen, Produkte, deren Ex-
port nach Europa der Hauptsache nach von – na
ja – getätigt worden sei, und dann, als der Untersuchungsrichter einen Anruf entgegengenommen,
starrte er die F. und ihr Team schweigend an,
öffnete die Türe, winkte ihnen ihm zu folgen,
schritt durch Korridore voran, dann eine Treppe
hinunter, wieder Korridore, öffnete mit einem
Schlüssel eine Eisentüre, wieder ein Korridor,
schmäler als die andern, worauf sie zu einer Wand
gelangten, in der sich eine Reihe kleiner Gucklö-
cher befand, von denen aus sie in einen kahlen Hof
hinunterzublicken vermochten, der offenbar vom
Gebäude des Polizeiministeriums umschlossen
wurde, doch sahen sie nur glatte, fensterlose
Mauern, was dem Hof ein schachtartiges Aus-
sehen gab, in den nun der zwerghafte Skandinavier an aufgereihten Polizisten mit geschulterten
Maschinenpistolen, weißen Helmen und weißen
Handschuhen vorbei hereingeführt wurde, in
Handschellen, hinter ihm ein Polizeihauptmann

mit gezücktem Säbel, der Skandinavier stellte sich
an die Betonwand der Polizeireihe gegenüber, der
Offizier schritt zu ihr zurück, stellte sich neben
die Reihe, hielt den Säbel steil vor sein Gesicht,
alles wirkte wie eine Operette, der fette Polizeichef wälzte sich herein, was den Eindruck des
Operettenhaften erhöhte, wälzte sich mühsam
und schwitzend zum Zwerghaften, Grinsenden,
steckte ihm eine Zigarette in den Mund, zündete
sie an, wälzte sich wieder aus dem Blickfeld derer,
die oben hinter den Gucklöchern standen, die
Kamera surrte, irgendwie hatte der Kameramann
es fertiggebracht, den Vorgang doch noch zu
filmen, unten rauchte der Zwerghafte, die Polizisten warteten, legten die Maschinenpistolen an, an
deren Mündung etwas befestigt war, offenbar
Schalldämpfer, warteten, der Offizier hatte seinen
Säbel wieder gesenkt, der Zwerghafte rauchte,
schien endlos zu rauchen, die Polizisten wurden
unruhig, der Offizier riß seinen Säbel wieder
hoch, die Polizisten zielten aufs neue, ein dumpfes
Geräusch, der Zwerghafte griff mit den gefessel-
ten Händen nach der Zigarette, ließ sie fallen, trat
sie aus, stürzte dann in sich zusammen, während
die Polizisten die Maschinenpistolen wieder gesenkt hielten, lag unbeweglich am Boden, wäh-

rend Blut aus ihm floß, überall, gegen die Mitte des Hofes zu, wo sich ein Abflußgitter befand und der Untersuchungsrichter sagte von seinem Guckloch zurücktretend, der Skandinavier habe gestanden, er sei der Mörder, leider sei der Polizeichef voreilig, es tue ihm leid, aber die Entrüstung im Lande – na ja –, und wieder ging es zurück, durch den schmalen Gang, durch die Eisentür, wieder durch die Korridore, doch jetzt durch andere, Treppen hinauf und hinab, dann ein Vorführraum, in ihm saß schon der Polizeichef, sesselfüllend, gnädig, animiert von der Hinrichtung, parfümdurchtränkte Bäche schwitzend, Zigaretten rauchend wie jene, die er dem Zwerghaften angeboten hatte, an dessen Geständnis weder die F. noch ihr Team, noch offenbar der Untersuchungsrichter glaubten, der sich nach einem erneuten »na ja« diskret zurückgezogen hatte, auf der Leinwand die Al-Hakim-Ruine, die Fahrzeuge, die Fernsehteams, die Polizisten, die vier Motorradfahrenden, die Ankunft der F. mit ihrem Team, der Kameramann den blöde lächelnden Assistenten unterweisend, der Tonmeister an seinen Geräten hantierend, dazwischen die Wüste, ein Polizist auf einem Kamel, der Jeep, der Fahrer im Turban am Steuer, die F. endlich irgendwohin starrend aber nicht wohin sie starrte, nach der Reihe der kauernden Gestalten am Fuß der Ruine, nach diesen fliegenbedeckten menschenähnlichen Wesen, halb im Sand versunken, über deren schwarze Mäntel der Sand strich, kein Bild von denen, bloß wieder Polizisten, dann ihre Ausbildung, in Schulzimmern, beim Sport, in den Schlafsälen, beim Zähneputzen unter der Massendusche, alles beklatscht vom weißen Göring, der Film sei großartig, gratuliere, um dann auf den Protest der F., es sei nicht ihr Film, erstaunt zu fragen, »wirklich?«, um gleich auch die Antwort zu geben, nun da werde das Material unbrauchbar gewesen sein, kein Wunder in der Wüstensonne, aber das Verbrechen sei jetzt ja aufgeklärt, der Täter exekutiert und er wünsche ihr eine angenehme Heimreise, worauf er sich erhob, huldvoll grüßte »lebe wohl, mein Kind« (was die F. besonders ärgerte) und den Raum verließ.

10

Wieder im Freien wurden sie vom Polizisten mit
dem Turban erwartet, der am Steuer seines Jeeps
ihnen spöttisch entgegenblickte, während hinter
ihm die Touristen den weiten Platz zwischen dem
Polizeiministerium und der großen Moschee füll-
ten, von Kindern belagert, die ihnen die Hände
aufrissen in der Hoffnung Geld zu finden, um-
kläfft von einer durch Lautsprecher übertragenen
Predigt, die aus der Moschee drang, umtutet von
Taxis und Reisebussen, die durch die Menge einen
Weg suchten, durch ein Völkerdickicht von einander knipsenden und filmenden Ferienreisenden,
das einen unwirklichen Kontrast zu den Vorgän-
gen bildete, die sich im weißgetünchten Gebäude-
komplex des Polizeiministeriums abgespielt hatten als ob sich zwei Wirklichkeiten durcheinan-
derschöben, eine unheimliche, grausame und eine
touristisch banale, und als der Polizist mit dem
Turban die F. noch auf französisch ansprach, was
er doch vorher nicht gesprochen hatte, war es ihr
zuviel: sie trennte sich von ihrem Team, sie wollte

allein sein, sie fühlte sich mitschuldig am Tod des kleinen Skandinaviers, die Exekution war nur unternommen worden, um sie an weiteren Nachforschungen zu hindern, sie sah immer wieder das faltige Gesicht mit der Zigarette zwischen den schmalen Lippen vor sich, dann die fliegenbedeckten Schädel der schwarzen Gestalten an der Al-Hakim-Ruine, es war ihr als sei sie in einen Alptraum geraten, der kein Ende nehmen wollte, seit sie dieses Land betreten hatte, auch war sie zum ersten Mal in ihrem Leben gescheitert, wollte sie weitermachen gefährdete sie nicht nur ihr Leben, sondern auch das ihres Teams, der Polizeichef war gefährlich, er würde vor nichts zurückschrecken, hinter dem Tod von Tina von Lambert war ein Geheimnis verborgen, was der Untersuchungsrichter gesalbadert hatte, war allzu durchsichtig gewesen, ein plumper Versuch etwas abzuschirmen, vor der Öffentlichkeit zu verbergen, aber was, sie wußte es nicht und dann machte sie sich wieder Vorwürfe, daß jemand das Atelier hatte verlassen können, als sie das Porträt mit der Frau im roten Mantel betrachtet hatte, die in ihrer Erinnerung immer mehr ihre eigenen Züge annahm, hatte es sich um einen Mann oder um eine Frau gehandelt, die im Atelier versteckt gewesen war, hatte ihr der Regisseur etwas verschwiegen, wer hatte das Bett benutzt, das hinter dem Vorhang zum Vorschein gekommen war, auch darüber weiterzuforschen hatte sie unterlassen und so war sie noch wütend über ihre Schlamperei, geschoben von schwitzenden Touristen, in die Altstadt geraten, hatte sie doch auf einmal Mühe zu atmen, derart war der Geruch, der sie umgab, und zwar nicht ein spezieller Geruch, sondern der Geruch aller Gewürze auf einmal, durchzogen vom Geruch von Blut und Exkrementen, von Kaffee, Honig und Schweiß, sie bewegte sich durch dunkle schluchtartige Gassen, immer erhellt von Blitzlichtern, da jederzeit irgendwer der Menschenmenge fotografierte, an Stapeln von Kupferkesseln und Schalen, Töpfen, Teppichen, Schmuckgegenständen, Radios, Fernsehkisten, Koffern, Fleisch- und Fischständen, Gemüse- und Früchtebergen vorbei, eingehüllt in eine so penetrante Duft- und Gestankswolke, bis sie plötzlich etwas Pelzartiges streifte, sie blieb stehen, neben ihr zwängten sich Menschen vorbei, schoben sich ihr entgegen, Einheimische, nur keine Touristen mehr, wie sie verwirrt feststellte, über ihr hingen an Kleiderbügeln aus Draht billige knallige Frauenröcke in allen Farben um so grotesker, weil niemand solche Röcke trug, und was sie gestreift hatte, war ein roter Pelzmantel, von dem sie auf der Stelle wußte, daß es der Mantel Tina von Lamberts war, der sie wie ein magischer Gegenstand zu sich hergezogen haben mußte, wie ihr schien, weshalb sie geradezu zwanghaft ins Innere des Geschäfts lief, vor dem die Kleider hingen, es war eigentlich mehr eine Höhle, in die sie gelangte und es dauerte lange, bis sie im Dunkeln einen Greis erriet, den sie anredete, der aber nicht reagierte, worauf sie ihn ergriff und an der Hand gewaltsam ins Freie führte, unter seine Frauenröcke, ohngeachtet der sich inzwischen angesammelten Kinder, die F. mit großen Augen anstarrend, die den Pelzmantel vom Bügel, an welchem er hing, heruntergezerrt hatte und, entschlossen ihn zu erstehen, koste er was er wolle, erst jetzt bemerkte, daß sie einem Blinden gegenüberstand, dessen einzige Kleidung ein langes schmutziges einmal weißes Gewand war mit einem großen verkrusteten Blutfleck auf der Brust, halb verdeckt vom schütteren Bart, das Gesicht mit den weißgelben Augen ohne Pupillen unbeweglich, er schien auch nicht zu hören, sie nahm seine Hand, fuhr mit ihr über den Pelz, er antwortete nicht, die Kinder standen da, die Einheimischen blieben stehen, neugierig, was die Stockung bedeute, der Alte sagte immer noch nichts, die F. griff in ihre Tasche, die sie wie immer über ihren Jeansanzug umgehängt trug, in der sich, sorglos wie sie war, ihr Paß, ihr Schmuck, ihre Utensilien und ihr Geld befanden, drückte dem Blinden Geldscheine in die Hand, zog sich den Mantel an und ging durch die Menge davon, von einigen Kindern begleitet, die auf sie einredeten, ohne daß sie etwas verstand, dann aus der Altstadt gelangt, sie wußte nicht wie und auch nicht, wo sie war, fand sie ein Taxi, das sie in ihr Hotel führte, in dessen Halle sich ihr Team aufhielt, in den Sesseln herumlungernd, sie anstarrend, die im roten Pelzmantel vor ihnen stand, vom Tonmeister eine Zigarette verlangend und sagte, der rote Pelzmantel, den sie in der Altstadt gefunden habe, sei von Tina von Lambert getragen worden, als diese in die Wüste gegangen sei, so absurd es auch scheine, sie kehre nicht zurück, bis sie die Wahrheit über deren Tod erfahren habe.

11

Ob das vernünftig sei, fragte der Tonmeister, der Assistent grinste verlegen und der Kameramann erhob sich und sagte, er mache den Unsinn nicht mehr mit, kaum hätte sie die F. verlassen, seien Polizisten gekommen und hätten das im Ministerium gedrehte Material beschlagnahmt und als sie hierher gekommen seien hätte der Portier schon den Rückflug gebucht und auf morgen in aller Herrgottsfrühe ein Taxi bestellt, er sei froh, dieses verfluchte Land verlassen zu können, die Männer, die sie verhört hätten, seien gefoltert gewesen und deshalb ohne Zähne, und die Erschießung des Zwergs, er habe in seinem Zimmer eine Stunde lang gekotzt, sie seien alle Narren, sich in die Politik des Landes zu mischen, seine Befürchtungen hätten sich bestätigt, hier seien Recherchen, welche diesen Namen verdienten, nicht nur unmöglich, sondern auch lebensgefährlich, was ihm nichts ausmachen würde, wenn er die geringste Chance für ihr Vorhaben sähe, und dann, sich wieder in den Sessel werfend, fügte er bei, offengestanden sei das ganze Projekt derart unklar, ja konfus, daß er auch der F. rate, das Projekt aufzugeben, gut, sie habe einen roten Pelzmantel aufgetrieben, aber ob sie auch sicher sei, daß dieser der Lambert gehört habe, worauf die F. gereizt antwortete, sie habe noch nie etwas aufgegeben, und als der Tonmeister, der nichts so sehr liebte wie den Frieden, noch meinte, es sei vielleicht doch besser, daß sie mit ihnen käme, gewisse Tatsachen hätten die Eigenschaft, nie ans Tages-licht zu kommen, ging sie grußlos auf ihr Zimmer, um dort freilich in der Türe stehenzubleiben, saß doch im Lehnstuhl unter der Stehlampe der sanfte Schönling mit der randlosen Brille, der Untersu-chungsrichter, der die ihn stumm Betrachtende ebenfalls stumm betrachtete, darauf mit der Hand auf den zweiten Lehnstuhl wies, in den sich die F. mechanisch setzte, weil es ihr schien als ob beim Schönling hinter dem Weichen, Sentimentalen etwas Hartes, Entschlossenes, bis jetzt Versteck-tes zum Vorschein komme, auch war seine Spra-che, die vorher vage und ausschweifend gewesen war, wie er nun zu reden begann und ihr gratulier-te, daß sie Tina von Lamberts Mantel aufgetrie-ben, nun hart, sachlich und oft spöttisch wie die eines Mannes, der sich freut, jemand hinters Licht geführt zu haben, weshalb sie nur stumm nicken konnte, als er ihr eröffnete, er sei gekommen, ihr für das Material zu danken, das sie gefilmt habe, es sei hervorragend, die schwarzen Heiligen und die Hinrichtung des Dänen großartig für seinen Zweck geeignet, und als sie fragte, was denn seine Absicht sei, antwortete er ruhig, im übrigen habe er sich erlaubt in den Kühlschrank neben die hier üblichen Fruchtsäfte, Limonaden und Mineralwasser eine Flasche Chablis stellen zu lassen, und neben dem Kühlschrank sei eine Flasche Whisky, und als sie sagte, sie ziehe Whisky vor, sagte er, das habe er gedacht, Nüsse seien auch vorhanden, stand auf, hantierte am Kühlschrank, kam mit zwei Gläsern mit Whisky zurück, Eis und Nüssen, stellte sich vor, er sei der Chef des Geheimdienstes und über ihre Gewohnheiten im Bilde, sie solle ihm sein Geschwätz im Ministerium verzeihen, der Polizeichef hätte seine Wanzen überall, er die seinen übrigens auch, jederzeit könne er abhören, was der Polizeichef abhöre, und dann berichtete er mit knappen Worten über die Absicht des Polizeichefs, die Macht im Lande zu übernehmen, außenpolitisch den Kurs zu ändern, die Ermordung Tinas einem fremden Geheimdienst zuzuschieben, darum die Erschießung des Skandinaviers, aber der Polizeichef wisse nicht, daß diese gefilmt worden sei, er wisse auch nicht, daß er von ihm, dem Chef des Geheimdienstes, beobachtet werde, ja der Polizeichef wisse nicht einmal, wer der Chef des Geheimdienstes sei, dem Polizeichef gehe es darum, als der starke Mann zu erscheinen, der über die Polizei wie über eine Privatarmee verfüge, damit, wenn er die Macht im Lande übernommen, diese als gesichert erscheine, ihm dagegen, dem Chef des Geheimdienstes, gehe es darum, den Polizeichef bloßzustellen, zu zeigen, wie dieser die Polizei korrumpiert habe und daß dessen Macht unsicher, labil und schon am zerfallen sei, doch vor allem gehe es darum, anhand des Verbrechens an Tina von Lambert dessen Unfähigkeit nachzuweisen, weshalb er denn alles unternommen habe, ihr weitere Nachforschungen zu ermöglichen, freilich mit einem neuen Team, das er ihr zur Verfügung stelle, der Polizeichef dürfe nicht mißtrauisch werden, ihr altes Team reise ab, er, der Chef des Geheimdienstes, habe jede Vorkehrung getroffen, die notwendigen Männer instruiert, das Hotelpersonal agiere in seinem Auftrag, eine ihm befreundete Person werde ihre Rolle übernehmen, bitte sehr, und damit öffnete er die Türe und eine junge Frau trat ein, gekleidet wie die F. in einen Jeansanzug, einen roten Pelzmantel über die Schulter gehängt, der genau so geschnitten war wie jener der Tina von Lambert, ein Umstand, der die F. mißtrauisch machte, weshalb sie fragte, ob die Bitte, sie solle dem Schicksal der unglücklichen Tina von Lambert weiter nachgehen, nicht vielmehr ein Befehl sei, eine Frage auf die sie die Antwort erhielt, daß sie es sei, die den Auftrag von Lamberts angenommen habe und er, der Chef des Geheimdienstes, es als seine Pflicht erachte, ihr dabei behilflich zu sein, dann fügte er noch bei, er lasse die F. anderswo unterbringen, sie habe nichts zu befürchten, sie sei von nun an unter seinem Schutz aber es wäre gut, wenn sie ihr Team informieren würde, in ihrem eigenen Interesse nur so weit als gerade noch nötig und damit verabschiedete er sich, die junge Frau hinausführend, die mit der F. nur insofern eine gewisse Ähnlichkeit aufwies, als, von weitem gesehen, eine Verwechslung nicht auszuschließen war.

12

Der Kameramann war schon im Bett, als die F. anrief, er kam im Schlafanzug in ihr Zimmer, wo sie ihren Koffer packte, und hörte sich ihren Bericht schweigend an, wobei sie nichts verschwieg, auch nicht den Rat des Chefs des Geheimdienstes, dem Team nur das Nötigste mitzuteilen, doch erst als sie geendet hatte, schenkte er sich einen Whisky ein, vergaß aber zu trinken, dachte nach und sagte endlich, die F. sei in eine Falle gegangen, Tina von Lamberts roter Pelzmantel sei nicht von ungefähr in die Altstadt zu einem blinden Verkäufer gekommen, der rote Pelzmantel sei der Köder gewesen, es gebe sehr wenige solcher Mäntel, vielleicht nur einen, daß jetzt eine Frau mit einem zweiten auftauchen könne, weise auf eine sorgfältige Planung hin, man hätte damit gerechnet, daß die F. in die Altstadt gehe, ein roter Pelzmantel zwischen billigen Röcken hängend falle auf und einen zweiten für eine Doppelgängerin herzustellen brauche Zeit, daß der Chef des Geheimdienstes den Polizeichef unschädlich machen wolle, leuchte ihm ein, aber wozu er dafür die F. brauche, begreife er nicht, wozu so viel Umstände, da sei noch etwas anderes im Spiele, Tina von Lambert sei nicht aus bloßer Laune in dieses Land gekommen, sondern aus einem bestimmten Grund, der auch mit ihrem Tod zu tun habe, das Buch von Lamberts über den Terrorismus habe er gelesen, den arabischen Widerstandskämpfern widme er zwei Seiten, er wehre sich dagegen, sie Terroristen zu nennen, wobei er freilich betone, daß auch Nichtterroristen zu Verbrechen fähig seien, Auschwitz zum Beispiel sei nicht das Werk von Terroristen, sondern von Beamten gewesen, es sei ausgeschlossen, daß deswegen von Lamberts Frau ermordet worden sei, auch der Chef des Geheimdienstes verschweige ihr das Wesentliche, sie sei ihm ins offene Messer gelaufen und könne nicht mehr zurück, aber es sei unvorsichtig von ihr gewesen, ihn, den Kameramann, einzuweihen, überhaupt würde es ihn wundern, wenn der Chef des Geheimdienstes ihr Team ziehen lasse, sie solle ihnen das Glück wünschen, das er ihr wünsche, damit umarmte er sie und ging, ohne den Whisky berührt zu haben, was er noch nie getan hatte, und der F. war es plötzlich, als ob sie ihn nie mehr sehen würde, wieder dachte sie an das Atelier zurück, sie war nun sicher, die Schritte hinter ihr seien Frauenschritte gewesen, trank wütend das Glas Whisky leer und packte weiter, schloß den Koffer und wurde, den roten Pelzmantel über ihrem Jeansanzug, durch den Hinterausgang des Hotels von einem Pagen, der so aussah, als sei er keiner und ihr den Koffer trug, zu einem Landrover gebracht, wo zwei Männer im Burnus sie erwarteten, sie aus der Stadt zuerst über die Staatsstraße, dann auf einem staubigen Weg über einen abenteuerlichen Paß, soviel sie in der mondlosen Nacht erkennen konnte, an Schneeflächen und Geröllhalden vorbei, Schluchten hinab und hinauf, in die Berge zu einem unbestimmbar durch die anbrechende Morgendämmerung schimmerndes Gemäuer brachten, das sich, als sie aus dem Landrover stiegen, als ein verwittertes zweistöckiges Gebäude erwies, mit der Inschrift GRAND-HÔTEL MARÉCHAL LYAUTEY über der Eingangstüre, die im eisigen Winde auf- und zuschlug, in welchem ihr von einem der Männer – da im Parterre, spärlich erleuchtet von einer Glühbirne, auf sein Rufen niemand erschien – im ersten Stock ein Zimmer zugewiesen wurde, indem er dort kurzerhand eine Türe geöffnet, sie hineingeschoben und den Koffer auf den hölzer-

nen Zimmerboden gestellt hatte, worauf sie, verblüfft über die rüde Behandlung, ihn die Treppe
hinunterpoltern und kurz darauf den Landrover
davonfahren hörte, offenbar nach M. zurück,
mißmutig schaute sie sich um, von der Decke hing
ebenfalls eine Glühbirne, im Bad funktionierte die
Dusche nicht, die Tapete hing in Fetzen von der
Mauer und das einzige Mobiliar bildeten ein
wackliger Stuhl und ein Feldbett, das freilich
frisch bezogen war, und immer wieder schlug
unten die Haustüre auf und zu und noch im Schlaf
hörte sie die Türe.

13

Es war schon Mittag als sie erwachte, vielleicht
weil die Türe jetzt nicht mehr auf und zu schlug,
vom Fenster aus, das so verschmutzt war, daß der
Tag kaum durchschimmerte, erblickte sie ein stei-
niges, von Buschgestrüpp überwuchertes und von
Schluchten durchzogenes Gelände, hinter dem
sich jäh ein steiler Bergrücken erhob, in dessen
Eishängen und Schründen sich eine Wolke verfan-
gen hatte, die den Gipfel verhüllte und im Sonnenlicht zu kochen schien, eine öde Gegend, die sie
fragen ließ, wozu das Hotel, wohin sie geführt
worden war und das offensichtlich keines mehr
war, einst gedient habe und jetzt diene, eine
Holztreppe hinuntergehend, in den roten Pelzmantel gehüllt, da es bitter kalt war, fand sie
niemanden, sie rief, in der Halle, mehr ein schäbi-
ges Zimmer, war niemand, auch in der Küche
niemand, bis plötzlich eine alte Frau aus einem
Nebenraum schlurfend in der Türe zur Halle
stehenblieb, die F. entgeistert anstarrte, um endlich auf französisch »ihr Mantel, ihr Mantel«

hervorzubringen, »ihr Mantel«, dabei zitternd auf den roten Pelzmantel zeigend, »ihr Mantel« plappernd, immer wieder, so offensichtlich durcheinander, daß sie, als die F. auf sie zuging, zurückwich in den Nebenraum, der offenbar einmal als Speisezimmer gedient hatte, und mit dem Rücken zur Wand, hinter dem Eßtisch und einigen alten Stühlen verschanzt, die F. angstvoll erwartete, die jedoch, um die alte Frau zu beruhigen, keine Anstalten mehr machte, auf sie zuzugehen, sondern in diesem trostlosen Zimmer stehenblieb, dessen einziger Schmuck ein großes gerahmtes Bild eines französischen Generals war, stark vergilbt, offenbar Marschall Lyautey, und auf französisch fragte, ob sie frühstücken könne, was die Alte mit einem heftigen Nicken bejahte, auf die F. zuging, sie bei der Hand nahm und auf eine Terrasse zog, wo sich an der Hausmauer unter einer einmal orangenen zerrissenen Markise ein gedeckter Holztisch befand, auch das Frühstück war schon vorbereitet, denn die Alte trug es herein, kaum hatte sich die F. gesetzt, war jedoch von ihrem Zimmer aus nur ein Schluchten-, Busch- und Steindurcheinander zu sehen gewesen mit dem kochenden Bergrücken dahinter, so blickte nun die F. einen sanften noch grünen

Hügel hinunter, an den weitere, immer niedrigere Hügel brandeten, sich aneinander brechend, bis weit unten es weißgelb hinaufschimmerte, die große Sandwüste, auch glaubte sie am Ende des Sichtbaren etwas Schwarzes zu ahnen, die Al-Hakim-Ruine, der Wind war frisch, die F. war froh sich in den roten Pelzmantel schmiegen zu können, den die Alte immer wieder beäugte, auch mit der Hand zaghaft über ihn fuhr, fast zärtlich, neben der frühstückenden F. verweilend, als müsse sie diese bewachen, aber zusammenzuckte, als die Frühstückende unvermittelt fragte, ob sie Tina von Lambert gekannt habe, eine Frage, welche die Alte aufs neue zu verwirren schien, indem sie immer wieder »Tina« stammelte, »Tina, Tina«, auf den Mantel wies, dann fragte, ob die F. eine Freundin sei und als diese bejahte, sich vor Aufregung in ihren Sätzen verhaspelnd berichtete, soweit es die F. zu verstehen vermochte, Tina sei mit einem gemieteten Auto allein hierhergekommen, wobei sie das »allein« mehrmals wiederholte, auch etwas Unverständliches über das gemietete Auto hervorstammelte, sie habe ein Zimmer für drei Monate gemietet und die Gegend durchstreift und sei bis zur großen Sandwüste vorgedrungen, ja bis zum schwarzen Stein, womit sie offenbar die

Ruine meinte, doch plötzlich nicht mehr zurückgekehrt, aber sie, die Alte, wisse, aber was die Alte
wußte war unverständlich, sosehr die F. sich auch
bemühte, hinter den Sinn der angefangenen, sich
wiederholenden und abgebrochenen Sätze zu
kommen, die Alte schwieg vielmehr plötzlich,
wurde mißtrauisch, starrte wieder auf den roten
Pelzmantel, wobei die F. spürte, die ihr Frühstück
beendet hatte, daß die Alte etwas fragen wollte,
aber nicht zu fragen wagte, weshalb die F. entschlossen aber nicht ohne Brutalität sagte, Tina
werde nicht wiederkommen, sie sei tot, eine
Nachricht, die von der Alten zuerst gleichgültig
entgegengenommen wurde, so als hätte sie nicht
begriffen, doch plötzlich fing sie an zu feixen, in
sich hineinzukichern, aus Verzweiflung, wie es
der F. allmählich aufging, und, indem sie die Alte
bei der Schulter packte und schüttelte, verlangte
sie, in das Zimmer geführt zu werden, das Tina
gemietet hätte, worauf die Alte etwas murmelte,
das, weil sie dabei wieder kicherte, wie »ganz
oben« klang, um dann, wie die F. die Treppe
hinaufging, in ein Schluchzen auszubrechen, um
welches sich die F. freilich nicht mehr kümmerte,
hatte sie doch im zweiten Stockwerk ein Zimmer
gefunden, das vielleicht das Zimmer Tina von

Lamberts gewesen war, ein Zimmer besser als jenes, in welchem die F. geschlafen hatte, ausgestattet mit Anzeichen eines gewissen Komforts, der zu dem Hotel nicht paßte und die F. überraschte, als sie sich umschaute: ein breites Bett mit einer alten Steppdecke undefinierbarer Farbe, ein Kamin, offenbar noch nie gebraucht, auf ihm einige Bände Jules Verne, über ihm wieder das vergilbte Bild des Marschall Lyautey, eine alte Schreibkommode, ein Bad, die Kacheln nur noch teilweise intakt und in der Wanne Rostflecken, zerschlissene Sammetvorhänge, ein Balkon, gegen die ferne Sandwüste gelegen, und wie sie ihn betrat, sah sie hinter einem kleinen Gemäuer etwa hundert Meter wüstenabwärts etwas verschwinden, sie wartete und dann kam es wieder, es war der Kopf eines Mannes, der sie mit einem Fernglas beobachtete, so daß sie an den von Tina zweimal unterstrichenen Satz »ich werde beobachtet« denken mußte und als sie ins Zimmer zurücktrat, war in ihm schon die Alte mit dem Koffer, dem Bademantel und der Tasche der F., als sei es selbstverständlich, auch hatte sie Bettwäsche mitgebracht, worauf die F. gereizt fragte, ob sie telefonieren könne, nach unten gewiesen fand sie in einem dunklen Korridor neben der Küche das

69

Telefon, trotzig beschloß sie, den Logiker D. anzurufen, überzeugt, daß die Verbindung nicht zustande käme, aber entschlossen, das Unmögliche zu versuchen, hob sie den Hörer von der Gabel des alten Apparats, er war tot, es konnte sich um eine Vorsichtsmaßnahme des Chefs des Geheimdienstes handeln, er hatte sie hierher bringen lassen, wo auch Tina von Lambert gewesen war, aber plötzlich mißtraute sie dessen Begründungen, vor allem deshalb, weil sie sich nicht vorstellen konnte, was Tina bewogen haben sollte, mit einem Wagen, wie die Alte erzählt hatte, in der Wüste herumzufahren, vor der offenen Balkontüre auf dem Boden sitzend, dann wieder indem sie sich aufs Bett legte und zur Decke starrte, versuchte sie Tina von Lamberts Schicksal zu rekonstruieren, sie ging aufs neue vom einzig sicheren Ausgangspunkt aus, von Tinas Tagebüchern, und versuchte alle Möglichkeiten durchzuspielen, um zum sicheren Ende zu gelangen, zu Tinas von Schakalen zerfleischter Leiche bei der Al-Hakim-Ruine, doch nie kam sie zu einer schlüssigen Annahme, das Verlassen ihres Hauses, »kurzerhand« wie sich von Lambert ausgedrückt hatte, war eine Flucht gewesen, aber in dieses Land war sie nicht wie eine Flüchtende gekommen, sondern mit einem ganz bestimmten Ziel, so wie sie sich benommen hatte, hätte sich eine Journalistin benommen, die einem Geheimnis nachspürte, aber Tina war keine Journalistin, eine Liebesgeschichte war denkbar, aber nichts deutete auf eine Liebesgeschichte hin, ohne eine Lösung gefunden zu haben trat sie später vors Haus, die Wolke am Bergrücken hatte sich vergrößert, begann sich heranzuschieben, sie ging den Weg zurück, den sie gekommen war, geriet auf eine steinige Hochebene, der Weg verzweigte sich, sie wählte einen Weg, der sich nach einer halben Stunde wieder verzweigte, sie ging zurück, stand lange vor dem einsamen Haus, das sinnlos dastand, mit der Haustür, die wieder auf und zu schlug, und mit dem Schild darüber GRAND-HÔTEL MARÉCHAL LYAUTEY und über dem Schild das schwarze Rechteck eines Fensters, das einzige in der Hausmauer, die einmal weiß gewesen sein mußte und nun alle Schattierungen von Grau aufwies, das in alle Farben des Spektrums hineinspielte, derart als wäre es vor Urzeiten von Riesen angekotzt worden, und nicht nur während sie dastand und nach dem Haus schaute und nach dem Fenster, hinter dem sie geschlafen hatte, sondern auch Stunden vorher, eigentlich kaum hatte sie das Haus verlassen, wußte sie und hatte sie gewußt, daß sie beobachtet wurde, auch wenn sie niemanden sah, der sie beobachtete und als der Sonnenball hinter der fernen Sandwüste versank, auf einmal so schnell, als ob er fiele, und die Dämmerung hereinbrach, in der nur noch die gewaltige Wolkenwand in ihren obersten Schichten brennender Sand zu sein schien und sie ins Haus hineinging, waren im Speisezimmer unter dem Bild des Marschalls der Tisch schon gedeckt und die Speisen aufgetragen, in einer Schüssel Schaffleisch in einer roten Sauce und Weißbrot, dazu Rotwein, die Alte war nicht zu sehen, sie aß wenig, trank Wein, ging dann in das Zimmer, in welchem auch Tina von Lambert gehaust hatte, trat auf den Balkon, war es ihr doch gewesen, als hätte sie, während sie aß, ein fernes Donnern gehört, die Wolkenwand mußte wieder zurückgewichen sein, vor ihr und über ihr brannten noch die Wintersterne, doch fern am Horizont sah sie einen gleißenden Widerschein und ein Aufblitzen, es war wie ein Gewitter und doch nicht und über allem hing das ferne unbestimmbare Donnern und wieder war es, als ob sie aus dem Dunkeln, das zu ihr heraufdrang, beobachtet werde und wieder im Zimmer, schon im Bademantel, in welchem sie auch schlief, mit Grausen die rostige Badewanne betrachtend, hörte sie ein Auto herankommen, doch ohne anzuhalten vorbeifahren, kurz darauf ein zweites, das hielt, dann ein Rufen, jemand mußte das Haus betreten haben, rief weiter, ob jemand da sei, kam in den ersten Stock hinauf, rief »hallo, hallo« und als die F. hinunterging, den roten Pelzmantel über den Bademantel geworfen, fand sie einen jungen strohblonden Mann vor, der im Begriff war, zu ihr hinaufzusteigen, der eine blaue Cordhose, Joggingschuhe und eine wattierte Jacke trug, sie mit weit aufgerissenen blauen Augen anstarrte und stammelte »Gott sei Dank, Gott sei Dank«, und als sie fragte, wofür denn Gott zu danken sei, die Treppe hinaufstürzte, sie umarmte und schrie, weil sie lebe, er habe es dem Chef gesagt und mit ihm gewettet, daß sie noch lebe und nun lebe sie noch und damit sprang er die Treppe wieder hinunter, dann die zweite und als die F. ihm folgend die Halle erreicht hatte, sah sie den Strohblonden Koffer hereinschleppen, was sie auf den Gedanken brachte, daß es sich um den ihr versprochenen Kameramann handeln könne und sie fragte ihn, worauf er antwortete, »erraten« und die Kamera aus dem Wagen holte, aus einem VW-Bus wie sie durch die offene Türe bemerkte, vor der das

Auto stand, dann sagte er an der Filmkamera hantierend, die könne er auch in der Nacht brauchen, Spezialoptik, ihre Berichte seien phantastisch gewesen, eine Bemerkung, die sie stutzen und fragen ließ, ob er sich denn nicht vorstellen wolle, worauf er rot wurde und stammelte, er heiße Björn Olsen und sie könne ruhig Dänisch mit ihm reden, was sie an den zwerghaften, grinsenden Mann denken ließ, der eine Zigarette rauchend an der Wand gestanden, die Zigarette ausgetreten hatte und in sich zusammengefallen war, und sie antwortete, sie könne nicht Dänisch, er müsse sie mit jemandem verwechseln, was ihn beinahe die Kamera fallen ließ, und schreiend und auf den Boden stampfend, nein, nein, das dürfe nicht wahr sein, sie trage doch einen roten Pelzmantel, trug er die Kamera und die Koffer wieder in den Bus, kletterte in den Bus und fuhr los, doch nicht nach M. zurück, sondern dem Gebirge zu, und als sie in ihr Zimmer hinaufging, erschütterte auf einmal eine Explosion das Haus, doch war alles wieder ruhig, als sie den Balkon betrat, auch das Wetterleuchten und das gleißende Licht in der fernen Sandwüste war erloschen, nur die Sterne brannten so bedrohlich, daß sie ins Zimmer zurückkehrte und die zerschlissenen Sammetvorhänge zuzog, wobei ihr Blick auf die Schreibkommode fiel, sie war unverschlossen und leer, dann erst bemerkte sie den Papierkorb neben der Schreibkommode und in ihm ein zerknülltes Papier, das sie auseinanderfaltete und glättete, in einer Handschrift, die sie nicht kannte, war etwas geschrieben, offenbar ein Zitat, denn es stand in Anführungszeichen, aber da es eine nordische Sprache war, verstand sie es nicht, hartnäckig wie sie war, setzte sie sich an die Schreibkommode, die sie heruntergeklappt hatte und versuchte zu übersetzen, wobei ihr freilich Wörter wie »edderkop« oder »tomt rum« oder »fodfaeste« Mühe bereiteten, es war Mitternacht als sie glaubte, das Zitat enträtselt zu haben: ›Was soll da kommen, was sollen fremde Zeiten (fremtiden) bringen? Ich weiß das nicht, ich ahne nichts. Wenn eine Kreuzspinne (edderkop?) sich von einem festen Punkt in ihre Konsequenzen niederstürzt, da sieht sie beständig einen leeren Raum (tomt rum?) vor sich, worin sie keinen festen Fuß (fodfaeste?) finden kann, wie sehr sie auch zappelt. So wie dies geht es mir; vorn beständig ein leerer Raum (tomt rum?), was mich vorantreibt ist eine Konsequenz, die hinter (bag) mir liegt. Dieses Leben ist verkehrt (bagvendt) und rätselhaft (raedsomt?), nicht auszuhalten.‹

14

Als sie am nächsten Morgen früh hinunterging, in den roten Pelzmantel gehüllt, entschlossen nach dem Frühstück dem Gebirge zu zu gehen, weil die Explosion nach der Abfahrt des Dänen sie nicht in Ruhe ließ und das Zitat, das vielleicht eine verklausulierte Botschaft darstellte, ihre Unruhe steigerte, saß auf der Terrasse am Holztisch frühstückend der Chef des Geheimdienstes, ganz in Weiß mit einem schwarzen Halstuch, an Stelle der randlosen Brille eine Sonnenbrille mit massiver Fassung, der sich erhob, die F. einlud, neben ihm Platz zu nehmen, ihr Kaffee einschenkte und Croissants anbot, die er für sie aus dem europäischen Teil von M. mitgebracht habe, bedauerte ihre notdürftige Unterkunft und legte ihr, nachdem sie gegessen hatte, eine Boulevardzeitung vor, in welcher auf dem Titelbild Tina von Lambert abgebildet war, strahlend, in den Armen ihres strahlenden Mannes, und darunter stand, sensationelle Rückkehr einer sensationell Beerdigten, die Gattin des bekannten Psychiaters habe sich infolge einer Depression im Atelier eines verstorbenen Malers versteckt gehalten, ihr Paß und ihr roter Pelzmantel seien gestohlen worden, was offenbar dazu geführt habe, daß sie mit jener Frau verwechselt worden sei, die bei der Al-Hakim-Ruine ermordet wurde, wobei man nun nicht nur vor dem Rätsel stehe, wer der Mörder, sondern auch wer die Ermordete sei, worauf die F. das Boulevardblatt bleich vor Entrüstung auf den Tisch warf, da stimme etwas nicht, das Ganze sei zu banal, dabei fühlte sie sich dermaßen blamiert und in ein unsinniges Abenteuer gelockt, daß sie in Tränen ausgebrochen wäre, aber die eiserne Ruhe des Chefs des Geheimdienstes neben ihr zwang sie zur Gelassenheit, um so mehr als dieser nun erläuterte, was an der Geschichte nicht stimme, sei der Diebstahl, Tina sei eine Freundin einer dänischen Journalistin, Jytte Sörensen, gewesen und habe dieser ihren Paß und ihren roten Pelzmantel gegeben, nur so habe die Dänin einreisen können, eine Auskunft, welche die F. nachdenklich machte, während er ihr eine weitere Tasse Kaffee anbot, fragte sie, woher er das wisse, und er antwortete, weil er die dänische Journalistin vernommen habe, sie hätte alles zugegeben und auf die Frage, warum diese ermordet worden sei, antwortete er, die Sonnenbrille anhauchend und reinigend, das wiederum wisse er nicht, Jytte Sörensen sei eine sehr energische Persönlichkeit gewesen und erinnere ihn in vielem an die F., er habe nicht herausbekommen, was sie mit ihrem Täuschungsmanöver bezwecke, da der Chef der Polizei sich habe täuschen lassen, habe er keinen Grund gesehen, seinerseits einzugreifen und sie samt dem falschen Paß und ihrem roten Pelzmantel ziehen lassen, weshalb auch, daß sie ein so schreckliches Ende genommen, tue ihm leid, hätte sie ihn eingeweiht, wäre es nicht dazu gekommen, das zerknüllte Zitat im Papierkorb habe sie, die F., sicher auch gelesen, es stamme von Kierkegaard, ›Entweder - Oder‹, er habe einen Spezialisten beigezogen, er habe zuerst an eine verschlüsselte Botschaft geglaubt, sei aber nun der Überzeugung, es handle sich um einen Hilferuf, er habe die tollkühne Dänin bis hierher überwachen können aber dann ihre Spur verloren, er hoffe, daß der junge Mann, der wie ein germanischer Recke ausgesehen habe, mehr Glück gehabt habe als seine Landsmännin – wenn das Wort richtig sei – offensichtlich seien beide im Auftrag einer dänischen privaten Fernsehanstalt eingereist, bekannt durch ihre Sensationsreportagen, und wenn sie jetzt, die F., in ihrem roten Pelzmantel in der Rolle einer anderen, als sie ursprünglich glaubte, ins Gebirge und vielleicht sogar in die Wüste gehe, so könne er ihr nicht mehr helfen, das Team, das er habe auftreiben wollen, habe sich geweigert mit ihr zusammenzuarbeiten, auch sei es für ihn leider nicht möglich gewesen, ihr Team ausreisen zu lassen, unglücklicherweise habe sie, die F., trotz seiner Warnung geplaudert, dieses schäbige Hotel sei der letzte noch irgendwie zu kontrollierende Punkt, von da an sei Niemandsland, völkerrecht- lich noch nicht abgegrenzt, aber er sei gerne bereit, sie zurückzuführen, worauf die F. sagte, nachdem sie ihn um eine Zigarette gebeten und er ihr Feuer gegeben hatte, sie gehe trotzdem.

15

Als sie im roten Pelzmantel das Haus verließ, wies nichts mehr darauf hin, daß der Chef des Geheimdienstes sie besucht hatte und auch von der Alten fehlte jede Spur, das Haus schien leer gewesen zu sein, die Haustüre unter dem Schild GRAND-HÔTEL MARÉCHAL LYAUTEY schlug auf und zu und sie kam sich vor wie in einem alten unwirklichen Film, indem sie mit umgehängter Tasche, den Koffer in der Hand, in der menschenleeren Einöde den Weg wählte, den der junge Däne genommen haben mußte, ohne Wissen wohin die Straße führte, auf der sie nun sinnlos, stur, gegen jede Vernunft dem Berg zu wanderte, an dessen Flanken immer noch die Wolke hing, und an ihr Gespräch mit dem Logiker D. dachte, wie sie sich damals ein Bild von einer Tina von Lambert gemacht hatte, aus dem einzigen Grunde etwas zu unternehmen, nicht untätig zu sein, in Aktion zu treten, doch nun, wie sich dieses Bild als Phantasiegebilde herausgestellt hatte, wie hinter ihm eine banale Ehegeschichte zum Vorschein gekommen und sich das Schicksal einer ganz anderen Frau enthüllte, von der sie keine Ahnung gehabt hatte, aber deren roten Pelzmantel sie trug, der wiederum der gleiche war, den Tina getragen hatte, fühlte sie sich in diese andere, in diese dänische Journalistin Jytte Sörensen verwandelt, vielleicht vor allem durch das Zitat Kierkegaards, auch sie fühlte sich hilflos wie eine in den leeren Raum fallende Spinne, dieser Weg, den sie nun ging, staubig, steinig, der unbarmherzigen Sonne ausgesetzt, die längst durch die Wolkenwand gebrochen war, die unter ihr kochte, der sich Hängen entlang krümmte und sich zwischen seltsam geformten Felsen hindurch zwängte, war eine Konsequenz ihres ganzen Lebens, sie hatte immer spontan gehandelt, es war das erste Mal gewesen, daß sie gezögert hatte, als sie von Otto von Lambert aufgefordert worden war, ihn mit ihrem Team zu besuchen und dennoch war sie zu ihm gegangen und hatte seinen Auftrag angenommen, und nun schritt sie gegen ihren Willen diesen Weg entlang und konnte doch nicht anders, den Koffer in der Hand wie eine Autostopperin auf einer Straße, auf der keine Autos fuhren, bis sie plötzlich vor dem nackten Leichnam Björn Olsens stand, so unvermittelt, daß ihr Fuß an ihn stieß, er lag vor ihr, immer noch lachend, wie es schien, wie das erste Mal als sie ihn unten an der Treppe gesehen hatte, von weißem Staub bedeckt, so vollständig, daß er mehr einer Statue glich als einer Leiche, die Cordhose, die Joggingschuhe, die wattierte Jacke lagen im Material, das er mitgenommen hatte, in den runden Blechdosen, die meisten geborsten, aufgesprengt, aus denen die Filmbänder wie schwarze Gedärme quollen, und hinter diesem Wirrwarr der vw-Bus, von innen heraus zerrissen, ein groteskes Durcheinander von Blech und Stahl, ein verbogener und zerrissener Schrotthaufen von Maschinenteilen, Rädern, Glaskristallen, ein Anblick, der sie erstarren ließ, die Leiche, die Filmrollen, die herumgestreuten und geborstenen Koffer, die Kleidungsstücke, die Unterhose, die wie eine Fahne an einer geknickten Antenne flatterte – erst allmählich nahm sie Details wahr –, die Busruine, deren Lenkradüberreste noch von einer vom Arm abgetrennten Hand des Dänen umklammert waren, all das sah sie, vor der Leiche stehend, und doch schien ihr unwirklich, was sie sah, irgend etwas störte sie, machte die Wirklichkeit unwirklich, ein Geräusch, das sie auf einmal wahrnahm, das jedoch schon gewesen war, als sie auf den Toten gestoßen war, und als sie nach der Richtung schaute, aus der das Geräusch, dieses leise Surren kam, sah sie einen großen, hageren, schlaksigen Mann in einem weißen, schmutzigen Leinenanzug, der sie filmte, ihr zuwinkte und sie weiter filmte, dann zu ihr hinkte mit seiner Kamera, mit einem mühsamen Schritt über den Toten herüber, neben ihr diesen filmend, wie von ihr aus gesehen und dabei sagte, sie solle doch endlich ihren blöden Koffer abstellen, zur Seite hinkte, die Kamera wieder auf sie schwenkte, ihr nachhinkte, als sie zurückwich und ihn anherrschte, weil sie den Eindruck hatte, der Mann sei betrunken, was er wolle und wer er sei, worauf er die Kamera sinken ließ, man nenne ihn Polyphem, wie er sonst heiße, habe er längst vergessen, sei auch nicht wichtig, daß er sich nicht gemeldet habe, als der Geheimdienst für sie ein Kamerateam gesucht hätte, sei von der politischen Lage des Landes aus verständlich, für sie, die F., zu arbeiten, sei zu riskant, was die Polizei wisse, wisse der Geheimdienst und was der Geheimdienst wisse, wisse die Armee, etwas dicht zu halten, sei unmöglich, er sei ihr lieber heimlich gefolgt, er wisse ja, was sie suche, der Chef des Geheimdienstes habe es allen Kameramännern erzählt und es wimmle in diesem Land von Kameramännern, sie, die F., wolle den Mörder der Dänin finden und womöglich überführen, wozu sie auch deren roten Pelzmantel angezogen habe, er finde das phantastisch, er werde ihr später die Filme zeigen, die er von ihr, der F., gedreht habe, nicht nur seit sie im ›Grand-Hôtel Maréchal Lyautey‹ abgestiegen sei, wie sich der verlotterte Steinhaufen nenne, nein, schon vorher, als sie den roten Pelzmantel in der Altstadt beim Blinden gefunden und gekauft habe, auch diese Szene sei von ihm gefilmt worden und sicher auch von anderen, an ihrem Unternehmen sei nicht nur er interessiert, auch jetzt würde sie von überall her mit Teleobjektiven beobachtet, die selbst durch den Nebel drängen, wie ein Katarakt stürzten diese Erklärungen aus dem Munde des großen schlaksigen Mannes heraus, aus dieser Höhle mit schlechten Zähnen von weißen Stoppeln umgeben, aus einem hageren durchfurchten Gesicht mit kleinen brennenden Augen, aus einem Antlitz eines hinkenden Mannes in einem schmutzigen, verschmierten Leinenkleid, der mit gespreizten Beinen über der Leiche stehend, die F. immer wieder mit einer Videokamera filmte, und als sie fragte, was er nun eigentlich wolle, antwortete er, einen Tausch, und als sie fragte, was er darunter verstehe, erklärte er, er hätte ihre Filmporträts stets bewundert, es sei sein größter Wunsch, ein Porträt von ihr herzustellen, auch die Dänin, die Sörensen, hätte er gefilmt und weil sie am Schicksal dieser Journalistin interessiert sei, biete er für das Porträt, das er von ihr, der F., herzustellen gedenke, die Filme an, die er von der Dänin gemacht habe, er sei imstande, die Videokassetten in konventionelle Filme zu verwandeln, die Sörensen sei einem Geheimnis auf der Spur gewesen, für sie, die F., biete sich die Gelegenheit die Spur wiederaufzunehmen, er sei bereit mit ihr ein Gebiet der Wüste aufzusuchen, in welches die Sörensen verschlagen worden sei, von allen, von denen sie beobachtet werde, habe sich dorthin bis jetzt keiner vorgewagt, aber sie könne ihm vertrauen, er gelte in gewissen Kreisen als der wohl unerschrockenste Kameramann, wenn auch die Kreise, in denen er bekannt sei, nicht genannt und seine Filme nicht gezeigt werden könnten, aus wirtschaftlichen und politischen Gründen, die er angesichts der Leiche des jungen Dänen nicht erläutern möchte, aus Pietät, auch der sei diesen Gründen zum Opfer gefallen.

16

Er hinkte ohne eine Antwort abzuwarten zum Bus
zurück, wobei sich ihr Eindruck, er sei betrunken,
verstärkte, und als er hinter dem Bus verschwunden war, wußte sie, daß sie im Begriffe war,
nochmals einen Fehler zu begehen, doch wenn sie
das Schicksal der Dänin aufklären wollte, mußte
sie sich dem Manne anvertrauen, der sich Polyphem nannte, auch wenn ihm nicht zu trauen
war, den man offenbar ebenso beobachtete wie
man sie beobachtete, ja vielleicht wurde sie nur
beobachtet, weil man ihn beobachtete, sie kam
sich vor wie eine Schachfigur, die hin- und her-
geschoben wurde, eigentlich widerwillig stieg sie
über den Toten und gelangte um die Busruine
herum zu einem Geländefahrzeug, verstaute ihren
Koffer auf der Pritsche und nahm neben ihm
Platz, der nun deutlich nach Whisky stank und ihr
riet, sich anzuschnallen, nicht grundlos, denn die
Fahrt, die nun begann, war höllenmäßig, Staub-
wolken aufwirbelnd sausten sie dem Bergrücken
entlang tief in die kochende Wolkenwand hinab,

oft so nah am Straßenrand, daß Steine in die Abgründe unter ihnen prasselten, später ging es in Haarnadelkurven noch steiler hinunter, wobei der Betrunkene die Kurven manchmal übersah und mit dem massigen Fahrzeug geradewegs hinunterstob, während die F., durch den Gurt an die Rücklehne ihres Sitzes gepreßt, die Beine nach vorne gestemmt, den Bergrücken, den sie hinabfegten, kaum wahrnahm, auch das Grasland, dem sie entgegenfielen und über welches sie nun der Wüste entgegenrasten, Schakale und Kaninchen aufscheuchend, Schlangen, die wie Pfeile davonschossen, und anderes Getier, hinein in die Steinwüste, von einem schwarzen krächzenden Gewölk umhüllt, stundenlang wie es ihr schien, dann als die Vögel zurückblieben, in grelles Sonnenlicht getaucht, bis der Geländewagen eine Staubwolke aufwirbelnd, vor einem eher flachen Schutthaufen jäh stoppte, mitten in einer Ebene, die wie eine Marslandschaft schien, ein Eindruck, der vielleicht durch das Licht zustandekam, das sie ausstrahlte, war sie doch von einer seltsamen halb metallisch rostigen, halb felsigen Materie bedeckt, in der gigantische verbogene Metallformen, unförmige Stahlsplitter und Stacheln steckten, wie hineingewuchtet, was die F., als die Staubwolke, die sich endlich gelegt hatte, gerade noch wahrzunehmen vermochte, denn schon sank der Geländewagen nach unten, über ihm schloß sich eine Decke, wonach sie sich in einer unterirdischen Garage befanden und auf die Frage, wo sie sei, antwortete er etwas Unverständliches, eine Eisentür glitt auf und er hinkte ihr durch weitere aufgleitende Eisentüren halb keller-, halb atelierhafte Räume voraus, die Wände eng mit kleinen Fotos bedeckt, als wären entwickelte Filmrollen absurderweise in lauter Einzelbilder zerschnitten worden, in einem wilden Durcheinander mit Stößen von Fotobüchern auf Tischen und Stühlen lagen Großaufnahmen zerschossener Panzerwagen herum, dazu Stöße vollgekritzelter Papiere, Berge von Filmrollen, Gestelle, an denen Filmausschnitte hingen, auch Körbe voll mit Filmresten, dann ein Fotolabor, Kästen voller Dias, ein Vorführraum, ein Korridor, worauf er sie, mit dem hinkenden Bein immer wieder einknickend und schwankend, so betrunken war er, in einen fensterlosen Raum führte, dessen Wände mit Fotos bedeckt waren, mit einem Jugendstilbett und einem kleinen Tisch des gleichen Stils, ein grotesker Raum, an den sich eine Toilette und ein Duschraum anschlossen, das Gästeappartement, wie er sich mühsam ausdrückte, gegen die Wand des Korridors taumelte und die F., die mißmutig das Innere der Zelle betrat, allein ließ, doch als sie sich wandte, hatte sich die Türe geschlossen.

17

Erst allmählich wurde sie sich der Furcht bewußt, die sich ihrer bemächtigt hatte, seit sie in dieser unterirdischen Anlage war, eine Erkenntnis, die sie bewog, statt das Unvernünftigste das Vernünftigste zu tun, von der Türe, die sich nicht öffnen ließ, zu lassen, ihre Furcht zu ignorieren, sich aufs Jugendstilbett zu legen und zu überlegen, wer Polyphem sein könnte, von einem Kameramann, der diesen Übernamen trug, hatte sie noch nie gehört, auch war rätselhaft wozu diese Anlage dienen könnte, sie mußte mit enormen Kosten erstellt worden sein, aber von wem, und was bedeuteten diese riesenhaften Trümmer um die Anlage herum, was ging hier vor und was sollte der seltsame Vorschlag, ihr Porträt gegen das der Jytte Sörensen zu tauschen, Fragen über denen sie einschlief und als sie jäh aufwachte, war es ihr als hätten die Wände gezittert und das Bett getanzt, was sie geträumt haben mußte, unwillkürlich begann sie die Fotos zu betrachten, mit steigendem Grauen, stellten sie doch dar, wie Björn Olsen in die Luft gesprengt wurde, die Fotos mußten mit einer Kamera von einer technischen Präzision aufgenommen worden sein, die für sie unvorstellbar war, erblickte man auf dem ersten Foto nur den vw-Bus in Umrissen, erschien auf dem nächsten, dort wo man die Kupplung vermuten konnte, eine kleine weiße Kugel, die sich auf den folgenden Fotos ausweitete, der Bus schien im Verlauf der Serie gleichzeitig durchsichtig und verformt zu werden und auseinanderzufallen, auch war zu sehen, wie Olsen von seinem Sitz gesprengt wurde, die verschiedenen Phasen wirkten um so gespensterhafter, als Olsen, von seinem Sitz in die Höhe gehoben, während seine rechte Hand, das Lenkrad umklammernd, sich von seinem Arm löste, vergnügt zu pfeifen schien, und, entsetzt über die fürchterlichen Fotos, sprang sie aus dem Bett und näherte sich instinktiv der Tür, die sich zu ihrer Verwunderung öffnete, doch froh aus dem Zimmer zu sein, das sie als Gefängniszelle empfand, trat sie in den Korridor, der war leer, sie witterte eine Falle, blieb stehen, irgendwo hämmerte jemand gegen eine Eisentüre, sie ging dem Geräusch nach, die Türen glitten auf, wenn sie sich ihnen näherte, sie ging durch die Räume, die sie schon gesehen hatte, sie ging zögernd, immer neue Korridore, Schlafstellen, technische Räume, deren Apparaturen sie nicht begriff, die Anlage mußte für viele Menschen gebaut sein, wo waren sie, mit jedem Schritt fühlte sie sich bedrohter, es mußte sich um eine List handeln, sie allein zu lassen, sie war sicher, sie werde von Polyphem beobachtet, sie kam dem Hämmern immer näher, einmal war es ganz nah, dann ferner, plötzlich stand sie am Ende eines Korridors vor einer Eisentüre, die ein normales Schloß hatte, in welchem ein Schlüssel steckte, gegen die gehämmert wurde, und manchmal war es, als ob sich jemand von innen mit den Schultern gegen die Türe werfe, schon wollte sie den Schlüssel drehen, als ihr der Gedanke kam, es sei Polyphem, der sich hinter der Eisentüre befinde, er war betrunken und sein Abschied war sonderbar gewesen, ihm mußte irgend etwas durch den Kopf geschossen sein, er hatte sie geradezu angestarrt und dann doch wieder nicht, als wäre sie nicht vorhanden, und dann konnte er sich selber aus Versehen eingesperrt haben indem sich das Schloß verklemmt hatte, auch konnte ihn ein Dritter eingeschlossen haben, die Anlage war riesig, vielleicht war sie nicht so unbewohnt wie es schien und warum öffneten sich plötzlich alle Türen automatisch, es polterte und hämmerte weiter, sie rief Polyphem, Polyphem, nur Hämmern und Poltern als Antwort, aber vielleicht war hinter einer Eisentüre nichts zu hören, vielleicht war alles keine List, vielleicht wurde sie nicht beobachtet, vielleicht war sie frei, sie lief in ihre Zelle, fand sie nicht, lief Irrwege, betrat eine Zelle, die sie zuerst für die ihre hielt, die jedoch nicht die ihre war, endlich fand sie die ihre doch, hängte sich die Tasche um, eilte wieder durch die unterirdischen Räume, immer noch war das Hämmern und Poltern zu hören, endlich fand sie die Garagentüre, sie glitt zur Seite, das Geländefahrzeug stand bereit, sie bestieg den Führersitz, betrachtete das Armaturenbrett, fand neben dem üblichen Instrumentarium zwei Knöpfe mit eingelassenen Zeigern, einer nach oben, einer nach unten, drückte auf den Knopf, dessen Zeiger nach oben wies, die Decke öffnete sich, das Geländefahrzeug wurde hinaufgeschoben, sie befand sich im Freien, über ihr der Himmel, in ihm Trümmer wie Speerspitzen, lange Schatten von einem grellen Funken geworfen, der erlosch, mit einem Ruck war die Erde rückwärts gekippt, der rote Streifen Lichts am Horizont begann sich zu schließen, sie war im Schlund eines Weltungeheuers, das seinen Rachen schloß, und wie sie den Ein-

bruch der Nacht erlebte, die Verwandlung von
Licht zu Schatten und von Schatten zu Finsternis,
in welcher die Sterne plötzlich da waren, ging ihr
die Gewißheit auf, daß die Freiheit die Falle war,
in die sie laufen sollte, sie ließ das Geländefahrzeug wieder nach unten gleiten, die Decke schloß
sich wieder über ihr, das Poltern und Hämmern
war nicht mehr zu hören, sie rannte in ihre Zelle
zurück und als sie sich auf das Bett warf, spürte sie
etwas heranheulen, ein Einschlag, ein Zerbersten,
fern und doch ganz nah, ein Erzittern, das Bett,
der Tisch tanzten, sie schloß die Augen, sie wußte
nicht wie lange, auch nicht ob sie ohnmächtig
gewesen war oder nicht, es war ihr gleichgültig
und als sie die Augen öffnete, stand Polyphem vor
ihr.

18

Er stellte ihren Koffer neben ihr Bett, er war nüchtern und frisch rasiert, trug einen sauberen weißen Anzug und ein schwarzes Hemd, es sei halb elf, er habe sie lange suchen müssen, sie liege nicht in ihrem Appartement, sie müsse es letzte Nacht verwechselt haben, offenbar sei sie durch das Erdbeben erschreckt worden, er erwarte sie zum Frühstück, und hinkte hinaus, die Türe schloß sich hinter ihm, sie erhob sich, das Bett war eine Couch, die Fotos an den Wänden stellten in verschiedenen Etappen die Explosion eines Panzerwagens dar, ein im Turm eingeklemmter Mann verbrannte, wurde zu Kohle, starrte verrenkt in den Himmel, sie öffnete den Koffer, zog sich aus, duschte, zog sich ein frisches Bluejeans-Kleid an, öffnete die Türe, wieder das Hämmern und Poltern, dann Stille, sie verlief sich, dann Räume, an die sie sich erinnerte, in einem Raum ein Tisch von Fotos und Papieren leergefegt, Brot, auf einem Brett in Scheiben geschnittenes Corned beef, Tee, ein Krug mit Wasser, eine Büchse, Wassergläser,

Polyphem hinkte aus einem Korridor herbei, eine leere Blechschüssel in der Hand, als hätte er einem Tier zu fressen gegeben, befreite einen Stuhl von Fotobüchern, dann einen zweiten, sie setzte sich, er schnitt mit einem Taschenmesser das Brot in Scheiben, sie solle sich bedienen, sie schenkte sich Tee ein, nahm eine Scheibe Brot, Corned beef, sie spürte plötzlich, daß sie Hunger hatte, er schüttete ein weißes Pulver in ein Glas, füllte Wasser nach, am Morgen trinke er nur Milchpulver mit Wasser, er müsse sich entschuldigen, er sei gestern betrunken gewesen, er trinke in der letzten Zeit, scheußlich diese Milch, es sei kein Erdbeben gewesen, sagte sie, nein, es sei keines gewesen, antwortete er, goß sich Wasser nach, es sei angebracht, daß er sie aufkläre, in welche Geschichte sie unfreiwillig geraten sei, denn offenbar wisse sie nicht, was sich im Lande eigentlich abspiele, fuhr er fort und hatte etwas Spöttisches, Überlegenes, schien überhaupt ein anderer Mensch zu sein als der, den sie am explodierten vw-Bus kennengelernt hatte, natürlich, über den Machtkampf zwischen dem Polizeichef und dem Chef des Geheimdienstes sei sie im Bilde, selbstverständlich bereite der erste einen Staatsstreich vor, versuche der zweite diesen zu verhindern, doch seien dabei noch andere Interessen im Spiel, das Land in welches sie mehr als leichtsinnig gekommen sei, wie ihn dünke, lebe nicht nur vom Fremdenverkehr und von der Ausfuhr pflanzlicher Stoffe für Polsterzwecke, die Haupteinnahme sei ein Krieg, den das Land mit dem Nachbarstaat um ein Gebiet in der großen Sandwüste führe, wo außer einigen verlausten Beduinen und Wüstenflöhen niemand lebe, wohin sich nicht einmal der Tourismus vorgewagt habe, ein Krieg, der nun schon seit zehn Jahren dahinmotte und längst nur noch dazu diene, die Produkte aller waffenexportierenden Länder zu testen, nicht nur französische, deutsche, englische, italienische, schwedische, israelische, schweizerische Panzer kämpften gegen russische und tschechische, sondern auch russische gegen russische, amerikanische gegen amerikanische, deutsche gegen deutsche, schweizerische gegen schweizerische, überall in der Wüste fänden sich verlassene Panzerschlachtfelder, der Krieg suche sich immer neue Schauplätze, folgerichtig, weil nur durch den Waffenexport die Konjunktur einigermaßen stabil bleibe, gesetzt, die Waffen seien wettbewerbsfähig, fortwährend brächen wirkliche Kriege aus, wie der zwischen Iran und Irak zum Beispiel, er brauche weitere nicht aufzuzählen, da komme das Erproben von Waffen zu spät, daher kümmere sich die Waffenindustrie um so intensiver um den unbedeutenden Krieg hierzulande, der längst seinen politischen Sinn verloren habe, es handle sich um einen Scheinkrieg, die Instruktoren der waffenliefernden Industrienationen bildeten der Hauptsache nach Einheimische aus, Berber, Mauren, Araber, Juden, Neger, arme Teufel, die durch diesen Krieg privilegiert worden seien, kämen sie einigermaßen davon, doch nun sei das Land unruhig geworden, die Fundamentalisten sähen in diesem Krieg eine westliche Schweinerei, was ja stimme, zähle man den Warschauer Pakt auch dazu, der Chef des Geheimdienstes versuche aus dem Krieg einen internationalen Skandal zu machen, dazu sei ihm der Fall Sörensen willkommen, auch die Regierung möchte ihn einstellen, möchte, stehe dann aber vor einem wirtschaftlichen Desaster, der Generalstabchef schwanke noch und die Saudis seien unentschlossen, der Polizeichef wolle ihn weiterführen, er sei von den waffenproduzierenden Ländern bestochen, auch, wie man munkle, von den Israelis und vom Iran, und versuche die Regierung zu stürzen, unterstützt von den aus allen Windrichtungen herbeigeeilten sonst arbeitslosen Kameramännern und Fotografen, dieser Krieg sei ihr tägliches Brot, denn sein Sinn liege ja nur darin, daß er beobachtet werden könne, nur so seien die Waffen zu testen und ihre Schwächen und Fehlkonstruktionen zu erkennen und zu verbessern und was ihn betreffe – er lachte, nahm neues Milchpulver und Wasser, während sie ihr Frühstück längst beendet hatte –, nun, da müsse er wohl etwas weiter ausholen, jeder habe seine Geschichte, sie die ihre, er die seine, er wisse nicht wie ihre begonnen habe, wolle es auch nicht wissen, die seine habe an einem Montag abend in New York in der Bronx begonnen, sein Vater habe einen kleinen Fotoladen gehabt, Hochzeiten fotografiert und jeden, der sich fotografieren lassen wollte und einmal habe er das Foto eines Gentlemans ausgestellt, von dem er nicht gewußt habe, daß er es nicht hätte ausstellen dürfen, das habe ihm dann ein Mitglied der Bande beigebracht, mit einem Maschinengewehr, so daß sein Vater durchlöchert hinter dem Ladentisch über ihn gesunken sei, der am Boden sitzend seine Schulaufgaben gemacht habe, an jenem Montag abend eben, habe sich doch sein Vater in den Kopf gesetzt, ihm eine höhere Bildung zu geben, Väter wollten immer zu hoch hinaus mit ihren Söhnen, aber er, als er nach einer Weile, da niemand mehr geschossen habe, unter seinem Vater hervorgekraxelt sei, habe beim Anblick des zerschossenen Ladens begriffen, daß die wahre Bildung darin bestehe, zu kapieren wie man durch die Welt komme, indem man sich der Welt bediene, durch die man kommen möchte, er sei mit der einzigen Kamera, die nicht wie sein Vater durchlöchert gewesen sei, in die Unterwelt gestiegen, als Dreikäsehoch sozusagen, zuerst habe er sich auf Taschendiebe spezialisiert, die Polizei habe seine Schnappschüsse nur mäßig bezahlt und nur wenige verhaftet, so sei keiner auf ihn aufmerksam geworden, darauf sei er kühner geworden und habe sich an die Einbrecher herangemacht, die Ausrüstung habe er sich teils zusammengestohlen, teils zusammengebastelt, er habe mit der Intelligenz einer Ratte gelebt, um Einbrecher zu fotografieren, müsse man wie Einbrecher denken, die seien gewitzt und lichtscheu, einige Fassadenkletterer seien von seinem Blitzlicht geblendet abgestürzt, sie täten ihm noch jetzt leid, aber die Polizei habe immer noch schäbig bezahlt und mit den Fotos zur Presse zu laufen, hätte die Unterwelt alarmiert, so habe er denn Glück gehabt, niemand habe im schmächtigen Gassenjungen ei-

nen Fotografen vermutet, darum sei er größen-
wahnsinnig geworden und habe sich an die Killer
herangemacht, ohne eigentlich zu überlegen, auf
was er sich da einlasse, die Polizei sei zwar splen-
dide geworden, ein Killer nach dem anderen sei
nach Sing-Sing und auf den elektrischen Stuhl
gewandert oder aus Vorsicht von seinen Auftrag-
gebern abgeknallt worden, aber dann sei ihm aus
Zufall im Central Park ein Fangschuß unterlaufen,
der einem Senator die Karriere vermasselt und eine
Lawine von Skandalen ausgelöst habe, wodurch
die Polizei gezwungen worden sei, dem parlamen-
tarischen Untersuchungsausschuß seine Existenz
bekanntzugeben, von der sonst niemand wußte,
von dem FBI aufgestöbert, habe ihn der Ausschuß
auseinandergenommen, und mit seinem Bild in
der Zeitung habe er, in sein Atelier zurückgekehrt, dieses im gleichen Zustand vorgefunden
wie seinerzeit den Laden seines Vater, eine Zeit-
lang habe er sich noch über Wasser gehalten,
indem er der Polizei Fotos von Killern und den
Killern Fotos von Detektiven verkauft habe, aber
bald hätten ihn alle gejagt, Polizei und Killer, und
ihm sei nichts anderes übriggeblieben als sich bei
der Armee in Sicherheit zu bringen, auch die hätten
Fotografen gebraucht, legale und illegale, doch

wenn er sage, er habe sich in Sicherheit gebracht, fuhr er fort, auf dem Sessel nach rückwärts gelehnt und die Beine auf dem Tisch, so sei das reichlich übertrieben, Kriege, auch wenn sie nur administrative Maßnahmen genannt würden, seien unpopulär, Abgeordnete und Senatoren, Diplomaten und Journalisten müßten überzeugt, seien sie nicht überzeugt, bestochen, seien sie nicht zu bestechen, erpreßt werden, zu diesem Zwecke hätten ihm Luxusbordelle zur Verfügung gestanden, die Fotos, die er da geschossen habe, seien politisches Dynamit, er sei dazu gezwungen gewesen, die Armee hätte ihn jederzeit nach Hause schicken können und in Anbetracht dessen, was ihn dort erwartete, habe er nachgegeben, mit dem Erfolg, daß er, als wieder ein Untersuchungsausschuß anrückte, von der Armee zur Luftwaffe geflüchtet sei, dann, weil nichts hartnäckiger sei als rachsüchtige Politiker, von der Luftwaffe zur Waffenindustrie, in die alle Interessen zusammengelaufen seien, so daß er hoffen durfte, sich dort endlich in Sicherheit zu finden, so sei er denn hier gestrandet, arg zugerichtet, ein stets gejagter Jäger, eine legendäre Gestalt für die Insider seines Berufs, die ihn denn auch zu ihrem Boß gewählt hätten und es sei denn auch eine der größten

Schnapsideen seines Lebens gewesen, diese Wahl anzunehmen, denn damit sei er der Chef einer illegalen Organisation geworden, von der man jede Information über alle eingesetzten Waffen erhalten habe, deren Aufgabe auch definiert werden könne, daß sie die Spionage überflüssig mache, wer etwas über einen feindlichen Panzer oder über die Wirksamkeit einer Panzerabwehrkanone habe wissen wollen, habe sich nur an ihn zu wenden brauchen, dank seiner habe sich der Krieg weitergefrettet, durch seine allzu mächtige Position sei aber die Administration wiederum auf ihn aufmerksam geworden, um die Organisation zu zerschlagen, habe sie sich mit ihm in Verbindung gesetzt, er gelte auf seinem Spezialgebiet als der größte Experte, man wolle ihn nicht zwingen, aber einige Senatoren – nun gut, er habe ihren Auftrag angenommen und nun beginne die Organisation zu zerfallen, die Fortdauer des Kriegs sei fraglich, daß man ihm von Seiten seiner alten Kollegen nun nachstelle und ihn, tauche er auf, beobachte, sei nur allzu natürlich, um so mehr als er zugebe, einige allzu subtile Informationen zurückgehalten zu haben.

19

Er schwieg, er hatte geredet und geredet und sie
spürte, daß er reden mußte, daß er ihr erzählt
hatte, was er vielleicht noch niemandem erzählt
hatte, aber sie spürte auch, daß er ihr etwas
verschwieg und daß, was er verschwieg, mit dem
Grund zu tun hatte, weshalb er ihr sein Leben
erzählte, er saß da, zurückgelehnt, die Beine auf
dem Tisch, schaute vor sich hin, als ob er auf etwas
wartete, und dann heulte es erneut heran, erneut
ein Einschlag, ein Zerbersten, von der Decke
rieselte es, dann Stille, sie fragte, was das gewesen
sei, er antwortete, der Grund, weshalb sich niemand hierher wage, hinkte ins Labor, von oben
senkte sich eine Treppe, sie stiegen hinauf und
gelangten in einen kleinen flachkuppligen Raum,
der sich über eine geschlossene Reihe kleiner
Fenster wölbte, doch erst als sie neben ihm saß,
bemerkte sie, daß die Fenster Monitoren waren,
in deren einem sie die Sonne sinken sah und den
Boden der Wüste sich öffnen, den Geländewagen
auftauchen und sich selber auf dem Geländewagen

sitzen, dann sah sie den rotgelben Streifen sich schließen, sah den Einbruch der Nacht, das Versinken des Geländewagens, die hereinbrechenden Sterne, etwas schoß heran, grelles Licht, der Monitor erlosch, nun Spezialzeitlupe, sagte er, das Gleiche noch einmal, ruckweise wurde es Nacht, ruckweise erschien der versinkende Geländewagen, ruckweise brachen die Sterne herein, ruckweise vergrößerte sich einer, ruckweise wuchs er kometenhaft an, ruckweise bohrte sich schlankes, weißglühendes Gebilde in die Wüste, explodierte ruckweise, schleuderte ruckweise Steinbrocken auf, vulkanartig, dann nur noch Licht, Dunkel, das sei die erste gewesen, die zweite vorhin sei näher explodiert, meinte Polyphem, die Genauigkeit nehme zu, und auf die Frage der F., was sie gesehen habe, antwortete er, eine interkontinentale Rakete, und in einem Monitor erschien das Bild der Wüste, das Gebirge, auch die Stadt, die Wüste kam näher, ein Fadenkreuz legte sich über das Bild, hier sei die Anlage, worin sie sich befänden, die F. und er, die Aufnahme stamme von einem Satelliten, dessen Umlaufzeit derart jener der Erde angepaßt sei, daß er immer über ihnen schwebe, darauf setzte er einen weiteren Monitor ein, alles automatisiert, wie er sagte, wieder die Wüste, am linken Bildrand ein kleines schwarzes Viereck, die Al-Hakim-Ruine, rechts oben die Stadt, am rechten Bildrand das Gebirge, immer noch die Wolke, ein blendendweißer Wattebausch, in der Bildmitte eine kleine Kugel mit Antennen, der erste Satellit von einem zweiten Satelliten beobachtet, um zu beobachten was dieser beobachte, damit schaltete er die Monitoren aus, hinkte zur Treppe, stieg hinunter ohne sich um sie zu kümmern, ging wieder zum Raum zurück, zum Tisch, nahm mit bloßen Händen Corned beef, setzte sich, lehnte sich zurück, legte die Füße auf den Tisch, sagte, bald komme die nächste, aß, erklärte dabei, würden im Krieg in der Wüste die modernen konventionellen Waffen getestet, so sei es für die strategische Konzeption beider Seiten notwendig, die Zielgenauigkeit der interkontinentalen, kontinentalen und der von atomaren Unterseebooten abgefeuerten Raketen zu überprüfen, das Funktionieren jener Waffensysteme, die als Träger der Atom- und Wasserstoffbomben dienten, wodurch einerseits der Friede auf Erden erhalten werde, wenn auch auf die Gefahr hin, er und die Erde würden damit zu Tode gerüstet, indem entweder allzu sehr auf die Einschüchterung des andern oder auf den Computer oder auf eine Ideologie oder gar auf

Gott vertraut werde, der andere könnte den Kopf verlieren und handeln, der Computer sich irren, die Ideologie sich als falsch und Gott sich als desinteressiert erweisen, andererseits würden gerade jene Mächte, die nur konventionelle Waffen besäßen und sich doch eigentlich ducken müßten, dazu verführt, im Schatten des Weltfriedens der Abschreckung konventionelle Kriege zu führen, diese seien angesichts der Möglichkeit eines atomaren Krieges stubenrein geworden, was wiederum die Herstellung konventioneller Waffen ankurble und den Krieg in der Wüste rechtfertige, ein genialer Kreislauf, die Waffenindustrie und damit die Weltwirtschaft auf Touren zu halten, die Station, worin sie sich befänden, diene dazu, diesen Prozeß zu beschleunigen, sie sei durch ein Geheimabkommen ermöglicht und mit phantastischen Kosten errichtet worden, allein für die unterirdische Stromzufuhr seien im Gebirge ein Staudamm und ein Elektrizitätswerk gebaut worden, nicht zufällig habe man diesen Teil der Wüste als Zielfeld gewählt und zahle man jedes Jahr eine halbe Milliarde dafür, er sei nicht weit von jenen Ländern gelegen, die durch ihren Ölreichtum immer wieder der Versuchung nachgäben, die Industrienationen zu erpressen, die Beobachtungsstation sei mit über fünfzig Spezialisten belegt gewesen, alles Techniker, er als einziger Kameramann unter ihnen, der Hauptsache nach noch immer mit der alten Kodak aus dem Laden seines Vaters ausgerüstet, nur in der letzten Zeit hantiere er mit Video, er habe nie die Beobachtungsstation aufgesucht, sei ein noch so dicker Brocken angekündigt worden, ihm seien sensationelle Aufnahmen gelungen, zugegeben, ein Splitter habe sein linkes Bein zertrümmert, aber als er zurückgekommen sei, endlich wieder zusammengeflickt, habe er die Beobachtungsstation halb verlassen gefunden, man habe sie vollautomatisiert, die Techniker, die noch geblieben seien, hätten mit Computern gearbeitet, eigentlich habe man ihn nicht mehr gebraucht, er sei durch automatische Videokameras ersetzt worden, dann habe man einen Satelliten über die Beobachtungsstation lanciert, sie seien nicht einmal informiert worden, die Beobachtungsstation für den Satelliten befinde sich auf den Kanarischen Inseln, nur durch Zufall habe ein Fernsehspezialist den Satelliten über ihnen entdeckt, später den zweiten, dieser von den andern, wenig später sei der Befehl gekommen, die Station zu räumen, sie sei nun in der Lage vollautomatisch zu arbeiten, was eine

Lüge sei, wozu wäre dann der Satellit da, er allein, Polyphem, sei geblieben, er verstehe nichts von all diesen Installationen, er sei gerade noch fähig nachzuprüfen, ob die Videoanlagen noch funktionierten, sie funktionierten noch, aber wie lange, der Strom für die Beobachtungsstation stamme nur noch von den Batterien, der Strom vom Elektrizitätswerk sei seit heute morgen eingestellt, seien die Batterien erschöpft, sei die Beobachtungsstation nutzlos und nun habe man auch begonnen die Interkontinentalraketen zwar nicht gerade mit atomaren, aber doch mit hochbrisanten konventionellen Bomben zu bestücken, wenn er auch den Gedanken, man ziele von beiden Seiten nicht so sehr auf die Station, sondern mehr auf ihn, weil er im Besitz verschiedener Filme und Fotonegative sei, die für gewisse Diplomaten mehr als peinlich seien, nun doch für übertrieben halte, aber seitdem trinke er, er habe vorher nie getrunken, worauf die F. fragte, ob diese Dokumente, die er besitze, der Grund seien, warum er Björn Olsen umgebracht habe.

20

Er nahm die Füße vom Tisch, stand auf, holte zwischen den Filmrollen eine Flasche Whisky hervor, goß sich Whisky ins Glas, woraus er die Pulvermilch getrunken hatte, schwenkte es, trank es aus, fragte, ob sie an Gott glaube, schenkte sich neuen Whisky ein und setzte sich wieder ihr gegen- über, die von seiner Frage verwirrt wurde, die sie zuerst unwirsch beantworten wollte, aber dann im Gespür, daß sie von ihm mehr erfahre, wenn sie ernsthaft auf seine Frage einging, antwortete, sie könne nicht an einen Gott glauben, weil sie einer- seits nicht wisse, was sie sich unter einem Gott vorzustellen habe, und daher nicht an etwas zu glauben vermöge, unter dem sie sich nichts vorstel- len könne, andererseits keine Ahnung habe, was er, der sie nach ihrem Glauben frage, unter Gott ver- stehe, an den sie glauben solle oder nicht, worauf er entgegnete, wenn es einen Gott gebe, sei dieser als reiner Geist reines Beobachten, ohne Möglichkeit in den sich evolutionär abspulenden Prozeß der Materie einzugreifen, der im reinen Nichts münde, da selbst die Protonen einmal zerfielen und in dessen Verlauf die Erde, Pflanzen, Tiere und die Menschen entstanden seien und untergingen, nur wenn Gott reines Beobachten sei, bleibe er von seiner Schöpfung unbesudelt, was auch für ihn den Kameramann gelte, auch er habe nur zu beobachten, wäre es nicht so, hätte er sich längst eine Kugel durch den Kopf gejagt, jedes Gefühl wie Furcht, Liebe, Mitleid, Zorn, Verachtung, Rache, Schuld trübe nicht nur die reine Beobachtung, mehr noch, mache sie unmöglich, färbe ihr die Gefühle ein, so daß er der ekelhaften Welt beigemischt statt von ihr abgehoben wäre, die Wirklichkeit sei nur vermittels der Kamera objektiv erfaßbar, aseptisch, diese allein sei fähig, die Zeit und den Raum festzuhalten, worin sich das Erlebnis abspiele, während ohne Kamera das Erlebnis davongleite, sei es doch, kaum erlebt, schon Vergangenheit, damit nur noch Erinnerung und wie jede Erinnerung verfälscht, Fiktion, weshalb es ihm vorkomme, er sei kein Mensch mehr – da zum Mensch-Sein der Schein gehöre, die Einbildung eben, etwas direkt erleben zu können –, er sei vielmehr wie der Zyklop Polyphem, der die Welt durch ein einziges rundes Auge mitten auf der Stirne wie durch eine Kamera erlebt habe, er habe deshalb den vw-Bus nicht nur in die Luft gesprengt, um zu verhindern, daß Olsen dem Schicksal der dänischen Journalistin weiterhin nachspüre und in eine Lage gerate, in die sie, die F., jetzt geraten sei, sondern, fügte er hinzu, nach einem erneuten Heranheulen, Einschlagen, Zerbersten, Erzittern, doch ferner, sanfter, und einem nachlässigen »weit daneben«, es sei ihm vor allem darum gegangen, die Explosion zu filmen – sie solle ihn nicht falsch verstehen –, ein schreckliches Unglück, gewiß, aber dank der Kamera ein verewigtes Ereignis, ein Gleichnis der Weltkatastrophe, denn die Kamera sei dazu da, eine Zehntel-, eine Hundertstel-, ja Tausendstelsekunde festzuhalten, die Zeit aufzuhalten, indem sie die Zeit vernichte, auch der Film gebe ja die Wirklichkeit, lasse man ihn ablaufen, nur scheinbar wieder, er täusche einen Ablauf vor, der aus aneinandergereihten Einzelaufnahmen bestände, habe er einen Film gedreht, so zerschneide er den Film wieder, jede dieser Einzelaufnahmen stelle dann eine kristallisierte Wirklichkeit dar, eine unendliche Kostbarkeit, aber jetzt schwebten die zwei Satelliten über ihm, er habe sich mit seiner Kamera wie ein Gott gefühlt, aber nun werde beobachtet, was er beobachte und nicht nur was er beobachte, sondern auch er werde beobachtet, wie er beobachte, er kenne das Auflösungsvermögen der Satellitenaufnahmen, ein Gott, der beobachtet werde, sei kein Gott mehr, Gott werde nicht beobachtet, die Freiheit Gottes bestehe darin, daß er ein verborgener, versteckter Gott sei, und die Unfreiheit der Menschen, daß sie beobachtet würden, doch noch entsetzlicher sei, von wem er beobachtet und lächerlich gemacht werde, von einem System von Computern, denn was ihn beobachte seien zwei mit zwei Computern verbundene Kameras, beobachtet von zwei weiteren Computern, die ihrerseits von Computern beobachtet und in die mit ihnen verbundenen Computer eingespeist, abgetastet, umgesetzt, wieder zusammengesetzt und von Computern weiterverarbeitet in Laboratorien entwickelt, vergrößert, gesichtet und interpretiert würden, von wem und wo und ob überhaupt irgendwann von Menschen wisse er nicht, auch Computer verstünden Satellitenaufnahmen zu lesen und zu signalisieren, seien sie auf Einzelheiten und Abweichungen programmiert, er, Polyphem, sei ein gestürzter Gott, seine Stelle hätte nun ein Computer eingenommen, den ein zweiter Computer beobachte, ein Gott beobachte den andern, die Welt drehe sich ihrem Ursprung entgegen.

21

Er hatte ein Glas Whisky um das andere getrunken, kaum daß er ihn hin und wieder mit Wasser
verdünnte, er hatte sich auch wieder in den Menschen verwandelt, den sie an der entstellten Leiche
des Dänen kennengelernt hatte, in einen Säufer
mit einem durchfurchten Gesicht mit kleinen
brennenden Augen, die dennoch wie versteint
wirkten, als hätten sie seit Ewigkeit in ein kaltes
Grausen geblickt, und als sie fragte, aufs Gerate-
wohl, wer den Einfall gehabt habe, ihn Polyphem
zu nennen, stutzte sie –, kaum hatte sie die Frage
gestellt, setzte er die Flasche Whisky an den Mund
und dann antwortete er schwerfällig, sie sei zweimal in Todesgefahr gewesen, als sie ins Freie
gegangen sei durch die Raketen und vorher vor der
Eisentüre, hätte sie die geöffnet, wäre sie nicht
mehr am Leben, denn der Name Polyphem sei
ihm auf dem Flugzeugträger Kittyhawk gegeben
worden, zu einem Zeitpunkt als der Rückzug aus
Südvietnam schon beschlossen worden sei, in der
Kajüte, die er mit einem rothaarigen Hünen geteilt

habe, mit einem seltsamen Kauz, Professor für Griechisch an irgendeiner Hillbilly-Universität, der in seiner dienstfreien Zeit Homer gelesen habe, die ›Ilias‹, deren Verse laut rezitierend, dabei ein ausgekochter Bomberpilot, den man Achilles genannt habe, teils um den Sonderling zu veräppeln, teils aus einem Heidenrespekt vor dessen Tollkühnheit, ein Einzelgänger, den er immer wieder fotografiert und gefilmt habe, das Beste, was ihm je gelungen sei, denn Achilles habe nie darauf geachtet, habe auch nie mehr als gleichgültige Worte mit ihm gewechselt, bis er, wenige Stunden bevor sie mit einem Bomber eines neuen Typs einen nächtlichen Angriff auf Hanoi durchführen mußten, ein Auftrag, von dem sie beide geahnt hätten, er könne schiefgehen, von seinem Homer aufschauend ihn betrachtet hatte, als er gerade die Kamera auf ihn gerichtet hatte, du bist Polyphem, habe er gesagt, du bist Polyphem, und gelacht, das einzige Mal, daß er gelacht habe und dann nie mehr und darauf habe er zu reden begonnen, auch zum ersten Mal, und gesagt, die Griechen hätten Ares, den Gott des Kampfgetümmels, von Pallas Athene, der Göttin der Schlachtordnung, unterschieden, im Nahkampf sei jede Überlegung gefährlich, nur blitzschnelles Reagieren sei möglich, einem Speerstoß ausweichen, ein Abfangen eines Schwerthiebes mit dem Schild, ein Zustoßen, ein Zuschlagen, der Feind sei zugegen, Leib an Leib, dessen Wut, dessen Schnauben, dessen Schweiß, dessen Blut vermische sich mit der eigenen Wut, dem eigenen Schnauben, dem eigenen Schweiß, dem eigenen Blut zu einem wilden Knäuel von Angst und Haß, der Mensch verkralle sich im Menschen, verzahne sich in ihn, zerfleische, zerhacke, ersteche ihn, zum Tier geworden, zerreiße er Tiere, so habe vor Troja Achilles gekämpft, es sei ein haßerfülltes Morden gewesen, dazu habe er gebrüllt vor Wut und gejubelt nach dem Tod jedes Feindes, aber er, den man auch Achilles nenne, welche Schmach, je technischer der Krieg geworden sei desto abstrakter der Feind, für den Scharfschützen mit Zielfernrohr nur noch als ein in die Ferne entrücktes Objekt erkennbar, für die Geschütze nur noch vermutbar, und als Bomberpilot könne er zur Not noch angeben, wie viele Städte und Dörfer er bombardiert, aber nicht wie viele Menschen er getötet habe, auch nicht wie er sie getötet, zerfleischt, zerquetscht, verbrannt habe, er wisse nicht, er beobachte bloß seine Instrumente und folge den Angaben seines Funkers, um das Flugzeug dorthin zu bringen, an jenen abstrakten Punkt im stereometrischen Koordinatensystem von Längen-, Breitengrad und Höhe, abhängig von der eigenen Geschwindigkeit und der Windrichtung, dann das automatische Auslösen der Bomben und nach dem Angriff fühle er sich nicht als Held, sondern als Feigling, der finstere Verdacht tauche in ihm auf, ein ss-Schinderknecht in Auschwitz habe moralischer gehandelt als er, dieser sei mit seinen Opfern konfrontiert gewesen, auch wenn er sie als Untermenschen und Lumpengesindel betrachtet habe, zwischen ihm, Achilles, und seinen Opfern jedoch gebe es keine Konfrontation, die Opfer seien nicht einmal mehr Untermenschen, sondern irgend etwas Ungefähres als würde er Insekten vertilgen, wie der Flieger, der Gift versprühe, ja auch nicht die Mücken sehe, Ausbomben, Vernichten, Ausradieren, Ausschalten, gleichgültig welche Vokabel man brauche, sei abstrakt, rein technisch, nur noch summarisch zu erfassen, finanziell am besten, ein toter Vietnamese koste über hunderttausend Dollar, die Moral werde exstirpiert wie ein böser Tumor, der Haß injiziert wie ein Aufputschmittel gegen einen Feind, der ein Phantom sei, sehe er einen realen gefangenen Feind, könne er ihn nicht hassen, gewiß, er kämpfe gegen ein System, das seiner politischen Auffassung widerspreche, aber jedes System, auch das verbrecherischste, sei aus Schuldigen und Unschuldigen geflochten und in jedes System, auch in die Kriegsmaschinerie, der er zugeordnet sei, mische sich das Verbrechen ein, überwuchere und ersticke die Begründung, er komme sich wie eine Unperson vor, ein bloßer Beobachter von Zeigern und Uhren, und besonders im Angriff, den sie diese Nacht zu unternehmen hätten, ihr Flugzeug sei ein fliegender Computer, er starte, fliege ins Ziel, werfe die Bomben ab, alles automatisch, sie beide hätten nur Beobachterfunktion, er wünsche sich manchmal, ein echter Verbrecher zu sein, etwas Unmenschliches zu tun, ein Tier zu sein, eine Frau zu vergewaltigen und zu erwürgen, der Mensch sei eine Illusion, entweder werde er eine seelenlose Maschine, eine Kamera, ein Computer oder ein Tier, nach dieser Rede, der längsten, die Achilles je gehalten, sei dieser verstummt und sie seien Stunden später im Tiefflug mit doppelter Schallgeschwindigkeit Hanoi entgegengefegt, einem Feuerschlund der Flugabwehrgeschütze entgegen, die CIA hätte Hanoi gewarnt, zum Test gehörte auch die Abwehr, trotzdem habe er einige von seinen besten Aufnahmen gemacht, dann sei nach Abwurf der Bomben ihr Flugzeug getroffen worden, die Automatik sei ausgefallen, blutüberströmt, am Kopf verletzt, habe Achilles die schwerbeschädigte Maschine mit ihm zurückgeflogen, nicht mehr wie ein Mensch, sondern nun selber wie ein Computer, denn als sie auf der Kittyhawk gelandet seien und die Maschine zum Stillstand gekommen sei, habe ihn das blutige und leere Gesicht eines Idioten angeglotzt, er habe Achilles nie vergessen können, er stehe solange er lebe in dessen Schuld, er habe die ›Ilias‹ gelesen, um diesen Hillbilly-Professor zu verstehen, der ihm das Leben gerettet habe und seinetwegen ein Idiot geworden sei, er habe nach Achilles geforscht aber ihn erst nach Jahren aufgestöbert, in der psychiatrischen Abteilung des Militärspitals, wo man ihm, Polyphem, das Bein zusammenflickte, er habe einen idiotischen Gott vorgefunden, den man in eine Zelle gesperrt habe, weil er, einige Male aus der Anstalt entwichen, Frauen vergewaltigt und umgebracht habe, worauf er wieder vor sich hinschaute und auf ihre Frage, ob das Wesen hinter der Tür Achilles sei, antwortete er, sie müsse verstehen, daß er diesem den einzigen Wunsch, den es noch fühle, erfüllen müsse, wenn sich eine Gelegenheit biete, und im übrigen habe er ihr das Porträt der Jytte Sörensen versprochen.

22

Er hatte Mühe, den Projektor in Gang zu setzen, vorher hatte er lange nach der Filmrolle suchen müssen, endlich war es soweit, zurückgelehnt in einen Kinosessel, die Beine übereinandergeschlagen, sah sie zum erstenmal Jytte Sörensen, eine schlanke Frau im roten Pelzmantel, die in die große Sandwüste hineinging, wobei sie zuerst glaubte, sie sei es selber, die da gehe, an ihrem Gang bemerkte sie, daß die Frau getrieben wurde, wenn sie stehenblieb, schreckte etwas sie auf, das Gesicht der Frau sah sie nie, aber am Schatten, der von Zeit zu Zeit sichtbar wurde, ahnte sie, daß sie von Polyphems Geländewagen in die Wüste gezwungen wurde, Jytte Sörensen ging und ging, Steinwüste, Sandwüste, doch war es kein planloses Gehen, auch wenn sie getrieben wurde, hatte die F. das Gefühl, daß die Dänin auf ein Ziel zuging, das sie erreichen wollte, doch plötzlich lief sie einen steilen Hang hinunter, überschlug sich, die Al-Hakim-Ruine wurde sichtbar mit den schwarzen Vögeln der kauernden Heiligen, sie

erhob sich, lief zu ihnen, umklammerte die Knie
des ersten, wollte um Hilfe bitten, dieser fiel hin,
wie er bei der F. hingefallen war, die Dänin kroch
über den Leichnam, umklammerte die Knie des
zweiten, auch dieser war eine Leiche, der Schatten
des Fahrzeugs tauchte auf, pechschwarz, dann ein
hünenhaftes Wesen, das sich auf sie warf, die,
plötzlich willenlos, alles mit sich geschehen ließ,
vergewaltigt und getötet wurde, alles überdeut-
lich, in Nahaufnahme ihr Gesicht, zum ersten
Mal, dann jenes des Wesens, stöhnend, gierig,
fleischig, leer, was dann folgte mußte mit einer
Spezialkamera und in der Nacht aufgenommen
worden sein, die Leiche lag zwischen den Heiligen, die zwei Toten wieder sitzend, Schakale
kamen, schnupperten, begannen Jytte Sörensen
zu zerfleischen, und erst jetzt bemerkte sie, daß sie
sich allein im Vorführraum befand, sie erhob sich,
verließ den Vorführraum, blieb stehen, entnahm
der Tasche eine Zigarette, zündete sie an, rauchte,
am Tisch saß Polyphem, schnitt an einem Filmband herum, neben ihm ein Gestell mit Filmresten, auf dem Tisch ein Revolver neben aus den
Filmen geschnittenen Einzelbildern, am Tisch-
ende eine kahlköpfige Masse, Verse skandierend,
griechische Hexameter, Homer, hin- und herwip-

pend im Takt der Verse, die Augen geschlossen, und Polyphem sagte, er habe ihn mit Valium vollgestopft, dann, ein Bild ausschneidend, wie ihr sein Material gefallen habe, ein Video auf 16-mm-Film übertragen, eine Frage, auf die sie keine Antwort wußte, er schaute sie an, gleichgültig, kalt, was er Wirklichkeit nenne, sei inszeniert, sagte sie, worauf er, das Einzelbild betrachtend, das er aus dem Filmband geschnitten hatte, antwortete, ein Spiel werde inszeniert, die Wirklichkeit könne nicht inszeniert, sondern nur sichtbar gemacht werden, er habe die Sörensen sichtbar gemacht, wie eine Raumsonde die noch aktiven Vulkane eines Jupitermondes sichtbar gemacht habe, worauf sie sagte, Sophisterei, und er, die Wirklichkeit sei nicht sophistisch und dann, wie alles wieder erzitterte und es erneut von der Decke rieselte, wollte sie wissen, warum er Achilles einen idiotischen Gott genannt habe, eine Frage, die er damit beantwortete, er nenne ihn so, weil Achilles wie ein von seiner Schöpfung infizierter Gott handle, der seine Geschöpfe vernichte, die Dänin sei nicht ein Geschöpf des Idioten, warf sie zornig ein, um so schlimmer für Gott, entgegnete er ruhig und auf ihre Frage, ob es hier geschehen solle, sagte er, nein, auch nicht bei der

Al-Hakim-Ruine, die seien von den Satelliten zu beobachten, das Porträt über die Dänin weise Mängel auf, das Porträt über sie werde sein Meisterwerk, er habe den Ort schon ausgewählt, sie solle ihn und Achilles nun allein lassen, Achilles könnte wach werden und er habe zu packen, in der Nacht brächen sie auf, er nehme sie mit, und die Filme und Fotos um derentwegen man ihn jage, er verlasse diese Station für immer, darauf wandte er sich wieder seinem Filmband zu, während es ihr nicht bewußt wurde, daß sie ihm gehorchte, daß sie in ihre Zelle ging, sich aufs Jugendstilbett oder auf die Couch legte, so gleichgültig war es ihr, was sie tat, war es doch unmöglich zu fliehen, er war wieder nüchtern geworden und bewaffnet, Achilles konnte erwachen und immer wieder erzitterte die Station und wenn sie auch hätte fliehen wollen, wußte sie nicht, ob sie fliehen wollte, sie sah das Gesicht der Jytte Sörensen vor sich, lustverzerrt, und dann, wie die riesigen Hände ihre Kehle umschlossen, auf einen Moment, bevor es sich entstellte, stolz, triumphierend, willig, die Dänin hatte alles gewünscht, was ihr widerfuhr, die Vergewaltigung und den Tod, alles andere war nur ein Vorwand gewesen und sie, sie hatte den Weg zu Ende zu gehen, den sie gewählt hatte, ihrer Wahl zuliebe, ihrem Stolz, sich zuliebe, ein lächerlicher und dennoch unerbittlicher Zirkelschluß der Pflicht, aber war es die Wahrheit, die Wahrheit über sich selber, die sie suchte, sie dachte an ihre Begegnung mit von Lambert, sie hatten seinen Auftrag gegen ihren Instinkt angenommen, von einem vagen Plan hatte sie sich in einen noch vageren geflüchtet, nur um etwas zu unternehmen, weil sie sich in einer Krise befand, sie dachte an ihr Gespräch mit D., er war zu höflich gewesen ihr abzuraten und wohl auch zu neugierig, wie das alles enden solle, von Lambert könne ja noch einmal einen Helikopter schicken, er war noch einmal der Schuldige, dachte sie und mußte lachen, dann sah sie sich im Atelier, vor dem Porträt, es war wirklich jenes der Jytte Sörensen, aber sie hatte sich zu spät umgewandt, es mußte Tina gewesen sein, die den Raum verlassen hatte und sicher war der Regisseur ihr Geliebter, sie war nahe der Wahrheit gewesen, aber hatte ihr nicht nachgespürt, die Verlockung, nach M. zu fliegen, war zu groß, aber auch dieser Flug war vielleicht nur eine Flucht gewesen, aber eine Flucht vor wem, fragte sie sich, vor sich selber, möglich, vielleicht hielt sie sich selber nicht aus und die Flucht bestand darin, daß sie sich treiben ließ, sie sah sich als Mädchen, an einem Bergbach stehen, bevor er sich über eine Felswand in die Tiefe stürzte, sie hatte sich vom Lager entfernt und ein kleines Papierschiff in den Bach gesetzt, war ihm dann gefolgt, bald wurde es von diesem Stein aufgehalten, bald von jenem, doch immer wieder befreite es sich und nun trieb es unaufhaltsam dem Wasserfall entgegen, und sie schaute zu, das kleine Mädchen, unbändig vor Freude, denn sie hatte das Schiffchen mit all ihren Freundinnen besetzt, auch mit ihrer Schwester, mit ihrer Mutter und ihrem Vater und mit dem sommersprossigen Jungen in ihrer Klasse, der später an Kinderlähmung starb, mit allen, die sie liebte und die sie liebten, und wie die Fahrt des Schiffchens pfeilschnell wurde, wie es über die Klippe schnellte, hinab in die Tiefe, jubelte sie laut, und plötzlich wurde aus dem Schiffchen ein Schiff und aus dem Bach ein Strom, der einem Katarakt entgegenfloß, und sie saß in diesem Schiff, das immer schneller dahintrieb, dem Fall zu, und über diesem, auf zwei Klippen, hockten Polyphem, der sie mit einer Kamera fotografierte, die wie das Auge eines Riesen aussah, und Achilles, der lachte und mit dem nackten Oberkörper auf und ab wippte.

23

Sie brachen kurz nach einem Einschlag auf, der so
heftig war, daß sie glaubte, die Station stürze ein,
nichts funktionierte richtig, der Geländewagen
mußte nach oben gehebelt werden, endlich im
Freien wurde sie von Polyphem mit einer Hand-
schelle an eine Stange der Pritsche gefesselt, wo sie
zwischen Bergen von Filmrollen lag und dann
raste er davon, doch kam keine Rakete mehr, sie
fuhren ungestört die ganze Nacht immer tiefer
nach Süden, über ihr die Sterne, deren Namen sie
vergessen hatte, bis auf einen, Kanopus, den
würde sie auch sehen, hatte D. gesagt, aber nun
wußte sie nicht, ob sie ihn sah oder nicht, was sie
seltsam quälte, war es ihr doch, Kanopus würde
ihr helfen, wenn sie ihn erkennen könnte, dann
das Verblassen der Sterne, als letzter einer, der
vielleicht Kanopus war, das eisige Versilbern der
Nacht zum Tage, sie fror, das Heraufsteigen des
Sonnenballs, Polyphem ließ sie frei, trieb sie in
ihrem roten Pelzmantel in die große Wüste, in eine
zernarbte Mondlandschaft aus Sand und Stein,

Wadis entlang und zwischen Sanddünen und abenteuerlichen Felsformationen hindurch, in eine Hölle von Licht und Schatten, Staub und Trockenheit, so wie Jytte Sörensen hineingetrieben worden war, hinter ihr, bald sie fast berührend, bald entfernter, bald nicht mehr hörbar, bald heranbrausend, ein Untier, das mit seinem Opfer spielte, der Geländewagen, von Polyphem gesteuert, neben ihm Achilles, immer noch halb betäubt hin und her wippend aus der ›Ilias‹ zitierend, Verse, das einzige was der Stahlsplitter, der ihn getroffen hatte, nicht zerstören konnte, doch brauchte Polyphem sie nicht zu lenken, sie ging und ging, in ihren Pelzmantel gehüllt, lief der Sonne entgegen, die immer höher stieg, dann ein Lachen hinter ihr, der Geländewagen jagte sie wie der Polizist im weißen Turban den Schakal gejagt hatte, vielleicht war sie dieser Schakal, sie blieb stehen, der Geländewagen auch, sie war schweiß-überströmt, sie zog sich aus, es war ihr gleichgültig, daß man ihr zusah, hüllte sich nur noch in den Pelzmantel, ging weiter, der Geländewagen hinter ihr, sie ging und ging, die Sonne brannte den Himmel weg, wenn der Geländewagen stand, zurückblieb, hörte sie das Geräusch einer Kamera, der Versuch eine Ermordete zu porträtieren

wurde nun unternommen, nur daß sie selber die
Ermordete sein würde, doch nicht sie porträtierte,
sondern sie wurde porträtiert und sie dachte, was
mit ihrem Porträt geschehen werde, ob Polyphem
es weiteren Opfern vorführen werde, so wie er es
ihr gegenüber mit dem Porträt der Dänin getan
hatte, dann dachte sie an nichts mehr, weil es
sinnlos war, an etwas zu denken, in der flirrenden
Ferne tauchten bizarre niedere Felsen auf, sie
dachte, vielleicht eine Fata Morgana, sie hatte
immer geträumt, eine Fata Morgana zu sehen, doch
als sie, schon taumelnd, näher kam, erwiesen sich
die Felsen als ein Friedhof zerschossener Panzer,
die sie wie schildkrötenhafte Riesentiere umstan-
den, während mächtige ausgebrannte Scheinwer-
fermasten in die gleißende Leere stachen, welche
die Panzerschlacht beleuchtet hatten, doch kaum
hatte sie den Ort erkannt, wohin sie getrieben
worden war, warf sich der Schatten des heranrük-
kenden Geländewagens wie ein Mantel über sie,
und wie Achilles vor ihr stand, halb nackt, staub-
bedeckt, als käme er von einem Schlachtgetüm-
mel, die alten Militärhosen zerfetzt, die nackten
Füße sandverkrustet, die Idiotenaugen weit geöffnet, wurde sie vom ungeheuren Anprall der Gegenwart erfaßt, von einer noch nie gekannten Lust

zu leben, ewig zu leben, sich auf diesen Riesen, auf diesen idiotischen Gott zu werfen, die Zähne in seinen Hals zu schlagen, plötzlich ein Raubtier geworden, bar jeder Menschlichkeit, eins mit dem, der sie vergewaltigen und töten wollte, eins mit der fürchterlichen Stupidität der Welt, doch er schien ihr zu entweichen, drehte sich im Kreise, ohne daß sie begriff, warum er ihr entwich, sich im Kreise drehte, hinfiel, wieder aufstand, zu den amerikanischen, deutschen, französischen, russischen, tschechischen, israelischen, schweizerischen, italienischen Stahlleichen glotzte, aus denen es zu leben und aus den verrosteten Panzerkampfwagen und zerschossenen Panzerspähwagen herauszuklettern begann, Kameramänner tauchten gleich phantastischen Tieren auf, hoben sich ab vom kochenden Silber des Alls, der Chef des Geheimdienstes kroch aus den verbeulten Überresten eines russischen SU 100, während aus dem Kommandoturm eines ausgebrannten Centurions, als liefe Milch über, der Polizeichef in seiner weißen Uniform quoll, jeder hatte Polyphem beobachtet und jeder jeden und wie nun überall Kameramänner auf Panzertürmen, Panzerplatten, Panzerketten stehend filmten und die Tonmeister ihre Angeln hoch- und querreckten, griff Achilles, von einem zweiten Schuß getroffen, in ohnmächtiger Raserei einen Panzer um den anderen an, prallte von Fußtritten traktiert zurück, kam immer wieder auf den Rücken zu liegen, wälzte sich, rappelte sich hoch, keuchte zum Geländewagen, auf die Brust beide Hände gepreßt, zwischen deren Fingern Blut rann, fiel, von einem dritten Schuß getroffen, aufs neue auf den Rücken, dem ihn filmenden Polyphem zubrüllend, Verse aus der ›Ilias‹, kam dann noch einmal hoch, wurde von einer Salve einer Maschinenpistole zersiebt, fiel wieder zurück und verschied, worauf Polyphem, während alle ihn und einander filmten, den Geländewagen um die Panzerruinen herumkurvte und davonstob, denen, die ihn verfolgten, entschwindend, die nur der Spur zu folgen brauchten, auch das sinnlos, denn als sie sich gegen Mitternacht der Beobachtungsstation bis auf wenige Kilometer genähert hatten, erschütterte eine Explosion die Wüste wie ein Erdbeben und ein Feuerball stieg hoch.

Wochen später, mit ihrem Team heimgekehrt,
nachdem die Fernsehanstalten ihren Film ohne
Begründung abgewiesen, las im italienischen
Restaurant der Logiker D. aus dem Morgen-
blatt der F. beim Frühstück vor, in M. habe
der Generalstabchef den Chef des Geheimdienstes und den Polizeichef erschießen lassen,
den einen, weil er sein Land verraten, den andern, weil er die Regierung habe stürzen wollen, nun selber Chef der Regierung geworden,
sei der Generalstabchef zu den Truppen im
Süden des Landes geflogen um den Grenzkrieg
fortzusetzen, ferner habe er die Gerüchte de-
mentiert, ein Teil der Wüste sei ein Zielplatz
fremder Raketen, sein Land sei neutral, eine
Nachricht, die D. um so mehr belustigte, als
er auf der folgenden Seite die Nachricht las,
Otto und Tina von Lambert sei ein langgeheg-
ter Wunsch in Erfüllung gegangen, indem die
schon Totgeglaubte und Beerdigte einem ge-
sunden Knaben das Leben geschenkt habe, so

daß D., die Zeitung zusammenfaltend, zu der F. sagte: Donnerwetter, hast du aber Glück gehabt.

Friedrich Dürrenmatt
4. 6. 86